TRADUCTION

dirigée par
Donald Smith

Le rendez-vous des classiques

Maud

La Vie de
Lucy Maud Montgomery

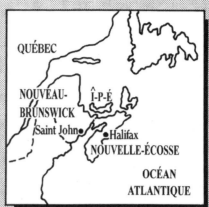

QUÉBEC

NOUVEAU-
BRUNSWICK

Î-P-É

Saint John●

●Halifax

NOUVELLE-ÉCOSSE

OCÉAN
ATLANTIQUE

Prince
Albert

CANADA

●Regina

Montréal●

Î-P-É

ÉTATS-UNIS

Toronto●

FE DU SAINT LAURENT

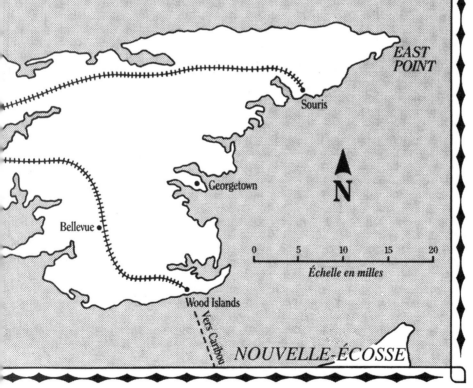

*EAST
POINT*

●Souris

N

●Georgetown

Bellevue ●

0   5   10   15   20

Échelle en milles

Wood Islands

Vers Caribou

NOUVELLE-ÉCOSSE

Harry Bruce

Maud

La Vie de
Lucy Maud Montgomery

Traduit de l'anglais
par Michèle Marineau

É D I T I O N S QUÉBEC/AMÉRIQUE

425, RUE SAINT-JEAN-BAPTISTE, MONTRÉAL (QUÉBEC) H2Y 2Z7 (514) 393-1450

Données de catalogage avant publication (Canada)

Bruce, Harry, 1934-

Maud : La Vie de Lucy Maud Montgomery

(Collection Littérature d'Amérique. Traduction)
Traduction de : Maud : The Life of L. M. Montgomery.

ISBN 2-89037-872-1
1. Montgomery, L. M. (Lucy Maud), 1874-1942 - Biographie - Ouvrages pour la jeunesse. 2. Romanciers canadiens-anglais - 20e siècle - Biographies - Ouvrages pour la jeunesse. I. Titre. II. Collection : Montgomery, L. M. (Lucy Maud), 1874-1942. Collection Littérature d'Amérique. Traduction.

PS8526.O55Z58414 1996   JC813'.52   C96-940749-1
PS9526.O55Z58414 1996
PR9199.3.M6Z58414 1996

Les Éditions Québec/Amérique bénéficient du programme de
subvention globale du Conseil des Arts du Canada.

Titre original :
Maud : The Life of L. M. Montgomery
Toronto, Bantam/Seal Books, 1992

Édition originale en langue française :
© **1997 Éditions Québec/Amérique inc.**
© Copyright 1992 by Harry Bruce.

Dépôt légal : 1er trimestre 1997
Bibliothèque nationale du Québec
Bibliothèque nationale du Canada

Mise en page : Julie Dubuc

Remerciements

Il m'aurait été impossible d'écrire *Maud* sans le volume I de *The Selected Journals of L. M. Montgomery*, publié sous la direction de Mary Rubio et Elizabeth Waterston (Oxford University Press, 1985), qui couvre les années 1889 à 1910. Le volume II m'a aussi été utile, mais le volume I a vraiment été ma source d'information principale. Ces livres ne sont pas seulement le fruit d'un magnifique travail d'édition et d'érudition, ils sont aussi fascinants à lire.

Les livres suivants m'ont aussi été d'un grand secours: *The Green Gables Letters... from L. M. Montgomery to Ephraim Weber, 1905-1909*, sous la direction de Wilfrid Eggleston (Ryerson Press, Toronto, 1960); *The Years Before «Anne»*, de Francis W. P. Bolger (Prince Edward Island Heritage Foundation, 1974); *The Wheel of Things: A Biography of L. M. Montgomery, Author of «Anne of Green Gables»*, de Mollie Gillen (Fitzhenry and Whiteside, Toronto, 1975); *The Alpine Path: The Story of My Career*, de L. M. Montgomery (Fitzhenry and Whiteside, Toronto, 1975; ce livre a d'abord été publié en plusieurs tranches dans *Everywoman's World* en 1917); enfin, *My Dear Mr. M.: Letters to G. B. MacMillan from L. M. Montgomery*, sous la direction de Francis W. P. Bolger et Elizabeth R. Epperly (McGraw-Hill Ryerson Limited, Toronto, 1980).

Je suis également reconnaissant envers F. L. Pigot, de la Robertson Library, à la Universty of Prince Edward Island, grâce à qui j'ai pu prendre connaissance de deux courts ouvrages, *Cavendish: Its History, Its People*, de Harold H. Simpson (Truro,

1973) et *Lucy Maud Montgomery: The Island's Lady of Stories* (Women's Institute, Springfield, 1963).

Mes autres sources incluent «Anne's First Sixty Years», d'Helen Fitzpatrick, publié dans *Canadian Author and Bookman* en 1969; un numéro spécial consacré à L. M. Montgomery par *Canadian Children's Literature* (automne 1975); «Lucy Maud's Island», de Francis W. P. Bolger, *The Island Magazine* (printemps-été 1977); «No Scope for Imagination», de David Weale, *The Island Magazine* (automne-hiver 1986); enfin, bien sûr, les romans de L. M. Montgomery elle-même.

Harry Bruce

Les extraits de *The Selected Journals of L. M. Montgomery* (volumes I et II), sous la direction de Mary Rubio et d'Elizabeth Waterston (Oxford University Press Ltd.) sont reproduits avec la permission de Mary Rubio, d'Elizabeth Waterston et de l'université de Guelph.

Les extraits de *The Alpine Path: The Story of My Career* sont reproduits avec la permission de Fitzhenry & Whiteside Limited.

Les extraits des autres œuvres de Lucy Maud Montgomery sont reproduits avec la permission de Ruth Macdonald et de David Macdonald, les héritiers de Lucy Maud Montgomery.

Les citations tirées des œuvres de L. M. Montgomery proviennent des traductions françaises suivantes:

— *Anne... La Maison aux pignons verts* (Montréal, Québec/Amérique,1986, 284 p., traduction d'Henri-Dominique Paratte).

— *Émilie de la Nouvelle Lune*, tome 1 (Montréal, Pierre Tisseyre, 1983, 320 p., traduction de Paule Daveluy).

— *Mademoiselle Pat* (Paris, Flammarion, coll. Super Sellers, 1992, 424 p., traduction d'Hélène Le Beau).

Table des matières

1. Courtisée, mais pas conquise   11

2. L'amour de sa vie.   19

3. Les racines familiales   27

4. La solitude d'une petite étrangère   35

5. Au royaume des rêves.   47

6. Travail, épargne, prière... et bonnes manières . .   57

7. Des débuts timides   67

8. Un amour de jeunesse   75

9. Dans l'Ouest   83

10. Voir, enfin, son nom imprimé.   91

11. À la maison, puis au collège   105

12. Mlle Montgomery, institutrice   113

13. Écrire... et être payée   121

14. Le retour d'une journaliste   129

15. Prise au piège   139

16. Un mariage longtemps différé   145

17. Bonjour, *Anne*.   155

18. Anne Shirley... ou Maud?.   161

19. Après *Anne*.   169

Index   177

1

Courtisée, mais pas conquise

Au cours de l'hiver 1896-1897, Lucy Maud Montgomery occupa le poste d'institutrice dans le petit village de Belmont, le seul endroit de son Île-du-Prince-Édouard tant aimée qu'elle qualifia jamais d'«horrible trou perdu». Maud, alors âgée de vingt-deux ans, jugeait ses élèves grossiers, ignorants et paresseux. Elle logeait chez M. et Mme Simon Fraser, qui avaient le double de son âge. M. Fraser était ennuyeux comme la pluie. Sa femme avait des manières frustes, et sa grammaire était abominable. La maisonnée comprenait également leur fille Laura, une enfant de quatre ans épouvantablement gâtée; Dan, le frère de Simon, que son père avait défiguré en le frappant avec une grosse branche; et une vieille femme sourde et à moitié aveugle dont l'incessant bavardage horripilait Maud. Bien que les Fraser ne fussent pas des voleurs, quelqu'un s'amusait à farfouiller dans la chambre de Maud lorsque celle-ci était absente pendant la journée. La jeune femme attachait un grand prix à son intimité – toute limitée qu'elle fût –, aussi en vint-elle rapidement à garder sous clef la moindre de ses possessions.

Maud avait le sentiment d'être tout ce que les Fraser n'étaient pas. Elle s'enorgueillissait d'appartenir à deux des familles les plus distinguées de l'Île. Elle était délicate, sensible et très instruite, du moins à côté des Fraser. Parmi les jeunes gens et les jeunes filles de l'Île-du-Prince-Édouard, rares étaient ceux qui avaient lu autant de livres qu'elle, et rien ne lui plaisait davantage que d'avoir la chance de briller en conversant avec des gens intelligents.

Les Fraser, quant à eux, étaient d'une ignorance crasse. De plus, Simon et Dan étaient tellement sales que Maud répugnait à manger en leur compagnie. Elle rêvait de rencontrer des «âmes sœurs», mais n'en trouva aucune chez les Fraser ou dans le voisinage. Les habitants de Belmont étaient des rustres, et Maud se sentait horriblement seule.

Sa chambre lui apparaissait comme un cachot. Son exiguïté en limitait le contenu à un lavabo, un lit, la malle de Maud et un clou planté dans le mur auquel elle suspendait ses vêtements. Durant les vagues de froid qui s'abattaient souvent sur l'Île-du-Prince-Édouard, des vents mordants s'engouffraient dans la maison délabrée, et la neige s'insinuait jusque dans la chambre de Maud. Chaque soir, à neuf heures, elle se glissait entre des draps glacés en espérant se réchauffer suffisamment pour arriver à dormir. Parfois, cependant, ses frissons la gardaient éveillée toute la nuit.

Il faisait encore noir quand, à six heures, Maud se levait. Avant même de s'habiller ou de coiffer sa longue chevelure, elle courait jusqu'à la cheminée de la cuisine afin de se dégeler les doigts. Plus tard, elle avalait ce que Mme Fraser déposait brutalement devant elle en guise de petit-déjeuner, puis elle mettait son manteau et ses gants et retournait à sa cellule glaciale pour faire son lit.

Alors seulement, Maud était-elle prête à faire ce qui la distinguait de toutes les autres jeunes institutrices de l'Île-du-Prince-Édouard et qui finirait par faire connaître son nom partout dans le monde. Lucy Maud Montgomery était prête, à ce moment-là, à écrire des poèmes et de courtes histoires.

Tous les matins, même lorsque la température tombait bien au-dessous de zéro, même lorsque Maud devait s'asseoir sur ses pieds pour les empêcher de geler ou que ses doigts gourds avaient peine à tenir une plume, elle écrivait pendant une heure avant d'aller travailler. Luttant contre le vent et la neige, elle marchait ensuite vers l'école, où elle frissonnerait toute la journée en appréhendant la venue d'une autre nuit glaciale.

▼

Maud, avide de compagnie, allait souvent chez Samuel et Eliza Simpson, dont les fils, Fulton, Alfred et Edwin (ce dernier n'habitait plus à Belmont, mais près de l'université où il étudiait), étaient ses cousins au second degré. Elle ne nourrissait pourtant aucune admiration pour l'immense clan Simpson de l'Île-du-Prince-Édouard. Les hommes parlaient beaucoup trop, prenaient des poses et affichaient des airs satisfaits. Ils étaient bruyants, suffisants et vraiment trop «simpsoniens».

Les Simpson de Belmont, cependant, représentaient pour Maud la seule façon d'échapper à sa solitude, aussi passait-elle tous ses dimanches avec eux. Certains dimanches, ils n'allaient pas à l'église seulement le matin, mais aussi dans l'après-midi et en soirée. Pour faire plaisir aux parents Simpson, Maud acceptait même de toucher l'orgue pendant les rassemblements au cours desquels des prédicateurs ambulants tentaient de raviver l'amour de Dieu chez l'auditoire. Maud avait ces «rassemblements pour la foi» en aversion, mais ceux-ci avaient au moins le mérite de soulager son ennui.

C'est au cours de ces dimanches bien remplis, pendant que Maud tentait d'échapper à la monotonie de sa vie, que Fulton et Alfred Simpson tombèrent tous deux amoureux d'elle.

Maud n'était pas véritablement une beauté, mais il y avait en elle quelque chose qui intriguait certains hommes. De taille moyenne, elle donnait pourtant une impression de fragilité enfantine. Elle avait des bras minces, des poignets étroits et des mains petites et douces. Lorsqu'elle parlait, ses gestes étaient vifs et gracieux. Elle avait un front haut, qu'elle cherchait à dissimuler grâce à son épaisse chevelure – autrefois d'un brun doré, à présent plus sombre et brillante – qui, dénouée, lui tombait jusqu'aux genoux.

Ses yeux gris-bleu et ses longs cils la faisaient souvent paraître coquette. Enfant, elle avait eu le nez parsemé de taches de rousseur, à présent disparues. Elle avait les pommettes saillantes, le nez mutin, le menton pointu, la bouche petite et joliment dessinée. Bien qu'elle-même eût préféré avoir une bouche plus grande et des cheveux plus bouclés, plusieurs hommes, à l'époque, lui avaient déjà voué un amour frisant l'adoration.

Maud était vive, taquine et même sarcastique à l'occasion. Elle adorait les réceptions et appréciait l'admiration des hommes sensibles. Elle avait un goût prononcé pour les perles, la dentelle, les chapeaux élégants, les voilettes délicates, les bas de soie et les rubans roses dans les cheveux. Où qu'elle aille, elle voulait être la femme la plus élégante de l'assistance, et, même seule, elle aimait porter de jolies toilettes.

Telle était la femme dont s'éprirent les frères Simpson.

▼

Un dimanche d'octobre 1896, Fulton Simpson attela un boghei et, par des chemins de terre rouge, emmena Maud à l'office religieux d'une église de campagne située à trois milles de chez eux. Le lendemain matin, il la conduisit à l'école de Belmont, où la jeune femme rencontra pour la première fois les enfants apathiques qui seraient ses élèves. Fulton, un véritable colosse, avait les mains les plus grosses que Maud eût jamais vues. Il présentait également toutes les caractéristiques que Maud détestait chez les Simpson. Pourtant, après ces deux promenades en boghei, il conçut un amour dévorant pour elle.

Fulton fut toutefois atteint d'une mystérieuse maladie qui le confina à la maison pendant des mois. Maud en fut secrètement soulagée. Si elle avait continué ses promenades en compagnie du jeune homme, confia-t-elle à son journal intime, «le fol engouement de Fulton à mon égard aurait risqué de se transformer en passion intense, et j'ose à peine imaginer comment il aurait pu réagir en comprenant que jamais je ne pourrais être amoureuse de lui. William Clark, de Cavendish (là où Maud avait grandi), est devenu fou et il a fini par se pendre – tout ça, semble-t-il, parce que ma mère ne voulait rien savoir de lui.»

Fulton étant malade, Maud se fit dès lors conduire par Alfred. Ce dernier n'était ni beau ni raffiné, mais il était d'un caractère agréable, et Maud le trouvait étrangement séduisant. Mais plus Alf et Maud sillonnaient la campagne en boghei, plus Fulton était furieux. Il injuriait Alf en hurlant, piquait de violentes colères, boudait pendant des jours et répétait avec hargne à sa mère qu'il espérait ne jamais se rétablir. Son comportement irritait tous les Simpson, et l'antipathie que Maud éprouvait à son égard se transforma bientôt en profonde aversion. Elle s'attristait d'être la cause des conflits et des rancœurs qui régnaient dans la seule maison de Belmont où elle avait une chance d'échapper à sa solitude.

▼

Au cours de cette période où, tout en subissant les crises de Fulton Simpson, elle assistait avec Alf à des rassemblements pour la foi, Maud reçut une lettre étonnante de leur frère Edwin. Elle avait déjà rencontré celui-ci dans le cadre d'un club littéraire, ailleurs dans l'Île, lorsqu'elle n'avait que dix-sept ans. À l'époque, elle avait décidé que, malgré ses beaux yeux, sa mine avenante et ses propos brillants, Edwin était vaniteux. Maud l'avait donc ignoré. Elle l'avait ensuite revu par hasard à quelques reprises, et, lorsqu'elle s'était installée à Belmont, il avait commencé à lui écrire. C'est sa quatrième lettre, que Maud reçut le 1er février 1897, qui sidéra complètement la jeune fille. Ils se connaissaient à peine, mais «Je t'aime», lui déclarait Edwin en ajoutant que «son ancienne attirance» pour elle s'était transformée en «passion irrépressible».

Maud n'était pas amoureuse d'Edwin, mais, des trois frères Simpson, il était le seul qui fût beau. Il était plus intelligent que ses frères, et plus instruit. Il s'exprimait également avec aisance et partageait l'intérêt de Maud pour la littérature. Enfin, comme il étudiait à l'université, il semblait destiné à embrasser une profession respectable. Maud avait beau trouver les autres hommes de la famille Simpson agaçants, elle était sensible au fait que leur famille fût l'une des plus vieilles et des plus connues de l'Île.

Elle éprouvait le plus grand respect pour les hommes qu'elle considérait comme ses égaux, sur les plans intellectuel et social. En tant que futur époux, Edwin possédait ces qualités. Il était déjà amoureux d'elle, et Maud se sentait tellement seule qu'elle espérait en venir à répondre à son amour.

Edwin revint de l'université en juin 1897, et, en le voyant s'adresser à une classe de l'école du dimanche, Maud se dit qu'il ne serait pas trop difficile de l'aimer. Puis, longeant la baie de Malpèque qui scintillait sous la lune, ils revinrent ensemble d'une soirée de prières, et Edwin obtint de Maud qu'elle promette d'une voix tremblante de l'épouser. Il l'embrassa, dit «Merci» et demanda si elle pouvait lui donner les fleurs qu'elle portait. Maud les lui tendit.

Choisissant peut-être d'attendre qu'Edwin ait terminé ses études universitaires avant de se marier, le jeune couple ne fixa pas de date pour le mariage et garda le silence sur ses fiançailles. Il ne faisait toutefois aucun doute dans l'esprit des fiancés qu'ils venaient d'échanger une promesse de mariage formelle.

Maud Montgomery avait commis l'une des pires erreurs de sa vie en acceptant d'épouser Edwin Simpson.

Dès le lendemain, au cours d'une excursion en bateau, elle le trouva faux et affecté. Ce soir-là, elle nota dans son journal intime que les baisers d'Edwin n'avaient pas éveillé chez elle «plus de passion que si une autre jeune fille m'avait embrassée». Deux jours passèrent. Le bavardage continuel d'Edwin, ses tics et sa façon de ne jamais rester en place irritaient Maud au point qu'elle avait envie de hurler. Neuf jours après avoir accepté de devenir Mme Simpson, elle se rendit compte que les baisers de M. Simpson ne la laissaient pas seulement indifférente, mais qu'elle détestait tout contact physique avec l'homme qu'elle avait promis d'épouser.

Maud se sentait prise au cœur d'un cauchemar. Dans les années 1890, à l'Île-du-Prince-Édouard, une promesse de mariage était un engagement on ne peut plus sérieux. Une femme ne donnait pas sa parole à un homme le 8 juin pour tenter de la reprendre le 17. Maud n'osait imaginer la réaction d'Edwin si elle rompait leurs fiançailles. Fulton avait déjà montré comment un Simpson amoureux pouvait réagir. En même temps, Maud méprisait sa propre lâcheté. Elle espérait que sa répulsion pour Edwin finirait par passer, mais, pour l'instant, cette répulsion était pour elle une véritable torture.

Elle n'arrivait pas à dormir. Des cernes profonds soulignaient ses yeux, et elle souffrait de maux de tête lancinants. Elle pâlit et perdit du poids. Certaines personnes s'inquiétèrent de sa santé, mais Maud était trop orgueilleuse pour chercher la pitié. Bien qu'elle fût plus calme que d'habitude, elle réussissait pourtant à rire et à bavarder. Pour sa part, Edwin n'aurait jamais imaginé qu'une femme ne le trouvât pas irrésistible. Un soir, il mentionna que Maud semblait épuisée, mais il la tint debout fort tard à discuter d'avenir. Maud trouvait son bavardage et son outrecuidance insupportables, mais elle subit sans broncher le baiser qu'il lui infligea en lui souhaitant bonne nuit.

Son tourment dura tout l'été 1897, qu'elle passa chez ses grands-parents à Cavendish, sur la rive nord de l'Île, et tout l'automne suivant, alors qu'elle vivait et enseignait dans le village de Lower Bedeque, au bord de la mer. Edwin était retourné à l'université, et il ne semblait pas s'inquiéter du fait que les lettres que Maud lui envoyait en réponse à ses lettres d'amour étaient aussi ennuyeuses qu'une liste d'épicerie.

Tout au long de ces mois d'angoisse, pourtant, Maud continuait à envoyer des histoires à différentes revues. Elle en vendit quelques-unes, mais la plupart furent refusées. Malgré sa situation financière difficile, elle persistait à écrire. Cette activité lui permettait de conserver son équilibre, dont elle aurait bientôt besoin plus que jamais. Maud ne le savait pas encore, mais elle était sur le point de vivre la plus grande histoire d'amour de sa vie – avec un homme qu'elle n'épouserait jamais, lui non plus.

2

L'amour de sa vie

Bedeque vient du mot micmac *eptek,* qui signifie «lieu chaud», et, pour ce qui est des émotions de Maud, aucun lieu ne serait jamais aussi chaud que Lower Bedeque au cours de cet hiver 1897-1898. Maud avait vingt-trois ans lorsqu'elle arriva là-bas pour enseigner, et elle prit pension chez M. et Mme Cornelius Leard. Elle éprouva aussitôt beaucoup de sympathie pour eux et pour leurs nombreux enfants. Le plus vieux, Herman, avait vingt-sept ans et, au début, il n'impressionna guère Maud. Ni beau, ni instruit, ni bien né, Herman était loin d'être l'homme de ses rêves. Ce n'était qu'un fermier sympathique.

Au cours d'un de ses premiers repas chez les Leard, cependant, Maud ne put s'empêcher de jeter de fréquents coups d'œil vers Herman. Il n'était pas très grand ni très beau, mais il avait les cheveux noirs, les yeux bleus et de longs cils soyeux. Quelque chose chez lui attirait Maud, qui ne put jamais expliquer ce qu'était ce quelque chose.

Pendant trois semaines, Maud et Herman échangèrent des plaisanteries et des taquineries et bavardèrent innocemment en se rendant aux réunions que l'église organisait pour les jeunes. Et puis, un soir de clair de lune où les étoiles se reflétaient dans les anses, Maud se montra particulièrement silencieuse sur le chemin du retour. Elle était fatiguée, et Herman la prit au dépourvu; il l'entoura de son bras et lui inclina doucement la tête sur son épaule.

Maud aurait voulu se redresser aussitôt, mais elle était incapable de bouger. Herman exerçait sur elle un étrange pouvoir, auquel elle ne pouvait échapper. Elle laissa sa tête sur l'épaule du jeune homme, celui-ci continua à l'entourer de son bras, et ils rentrèrent en silence au clair de lune.

Le lendemain soir, comme ils revenaient d'une fête dans un village voisin, Herman refit les mêmes gestes, en appuyant sa joue contre le visage de Maud. De nouveau, Maud se sentit incapable de parler ou de bouger. Quelques soirs plus tard, alors qu'ils se retrouvaient encore une fois seuls dans le boghei, leurs lèvres se joignirent en un long baiser. Les baisers d'Edwin Simpson avaient semblé répugnants à Maud, ceux d'Herman Leard l'enivrèrent. Elle n'aurait jamais imaginé qu'un baiser puisse être aussi électrisant.

Cette nuit-là, dans la solitude de sa chambre, Maud décida qu'elle n'embrasserait plus jamais Herman. Après tout, elle était encore fiancée à Edwin Simpson. Elle n'aimait pas Herman, et elle savait qu'elle ne l'épouserait jamais, mais elle ne le lui avait pas encore dit. De plus, Herman Leard ne lui convenait pas. Il n'était pas assez bien pour elle.

Ainsi qu'elle l'écrivit par la suite dans une lettre, Herman «n'était pas digne de lacer les chaussures d'Edwin». Elle savait qu'en épousant Herman elle connaîtrait une année de bonheur, suivie d'une vie de malheur, de regret et d'ennui mortel. Peu importe l'amour qu'elle éprouvait pour lui, elle savait qu'Herman n'était pas un homme pour elle. Cette lucidité de Maud face à elle-même, bien que souvent douloureuse, allait lui rendre la vie plus supportable.

Son amour pour Herman déclencha une guerre dans l'âme de Maud. Elle avait hérité de la famille de son père, les Montgomery, le côté ardent et romantique de sa nature, qui l'incitait à chercher le paradis dans les bras d'Herman. Elle tenait cependant de la famille de sa mère, les austères Macneill, une conscience puritaine qui troublait le plaisir qu'elle éprouvait en compagnie d'Herman et qui l'emplissait de remords.

Sa conscience ayant parlé, Maud avait donc décidé que ce premier baiser d'Herman serait aussi le dernier. Pourtant, dès le lendemain, sa détermination fondit comme neige au soleil. Ce soir-là, Herman était allé chasser l'oie. En rentrant à la maison, il se rendit dans une pièce du rez-de-chaussée où Maud, assise toute seule à table, était en train d'écrire. Herman s'affala sur un canapé pour lire, mais repoussa vite son roman en disant qu'il avait mal aux yeux. Maud cessa d'écrire et vint s'asseoir près de lui pour lui faire la lecture à haute voix. Herman lui saisit la main et la pressa doucement. Maud frissonna. Sa voix se mit à trembler, les lettres dansèrent devant ses yeux.

Les minutes s'écoulèrent. Dans un souffle, Herman lui suggéra de cesser de lire. Il l'entoura ensuite de ses bras et pressa son visage contre le sien. Ils restèrent assis de la sorte pendant une demi-heure. Herman l'embrassait doucement, encore et encore. Maud avait souvent éprouvé un béguin pour tel ou tel homme, mais elle n'avait encore jamais rien senti de comparable à cette passion qui la poussait vers Herman Leard.

Une fois encore, la double vie qu'elle menait nuisit à son sommeil et menaça sa santé. Les rencontres de Maud et d'Herman restaient secrètes, et, tout en enseignant, en fêtant ou en plaisantant avec les Leard, Maud manifestait une gaieté qu'elle ne sentait guère. La comédie atteignit un sommet juste avant Noël 1897, lorsque Edwin Simpson surgit soudain pour une visite de vingt-quatre heures. La scène n'eut rien à envier, en fait d'étrangeté, à tout ce que Maud put écrire par la suite, et elle en fit une description très vivante dans son journal:

J'étais donc sous le même toit que ces deux hommes, l'un que j'aimais et que je ne pourrais jamais épouser, l'autre que j'avais promis d'épouser mais que je ne pourrais jamais aimer! Jamais je ne pourrai exprimer ce que j'ai souffert cette nuit-là, déchirée entre l'horreur, la honte et la crainte.

Les Leard, ignorant que Maud était fiancée à Simpson, ne laissèrent pas ceux-ci en tête à tête, ce dont Maud leur fut très reconnaissante. Edwin lui avait envoyé un coupe-papier en argent pour Noël, et, avant de monter se coucher, Maud lui remit un mot de remerciement. Cette nuit-là, dans la chambre qu'elle partageait avec Helen, une des sœurs d'Herman, Maud dut se mordre les lèvres pour s'empêcher de pleurer. Edwin partit au matin, guère plus éclairé qu'avant.

La famille d'Herman ignorait également ce qui se passait entre Maud et Herman, qui se fixaient de plus en plus de rendez-vous secrets dans la ferme aux coins sombres, où ils s'embrassaient et se caressaient dans la douce lumière des bougies et des lampes à pétrole. Au début, Herman donnait rendez-vous à Maud le soir, au rez-de-chaussée. À l'approche de Noël 1897, cependant, il attendait qu'Helen quitte la maison puis il montait des livres et du chocolat à l'étage, dans la chambre où dormait Maud. Elle restait étendue sur un canapé, à grignoter des bonbons et à parler avec Herman, de nouveau sous le charme. Au Jour de l'An, elle prit la résolution de mettre fin à cette liaison une fois pour toutes. Le soir même, elle était encore en compagnie d'Herman.

Pendant un moment, Maud tenta d'éviter Herman en se tenant hors de son chemin, mais la tentation d'être avec lui finissait toujours par l'emporter. Il quittait toujours la chambre de Maud avant minuit, mais seulement après que celle-ci lui eut ordonné d'une voix oppressée de sortir de sa chambre. Elle savait que le jeune homme voulait avoir des rapports sexuels, et elle arrivait tout juste à résister à «la plus terrible des tentations».

À l'Île-du-Prince-Édouard, à l'époque de Maud, les gens convenables considéraient les femmes qui avaient des relations sexuelles avant le mariage comme des putains ayant permis à des hommes de les «ruiner». Si elles perdaient leur virginité, leur famille risquait de les rejeter, et leurs chances d'épouser des hommes honorables étaient pratiquement nulles.

Malgré ces dangers, et bien qu'elle fût encore fiancée à Edwin Simpson, Maud éprouvait pour Herman une passion à ce point irrésistible qu'elle aurait fort bien pu finir par lui céder, pendant la dernière soirée qu'il passa dans sa chambre. Mais quelque chose de plus important la retint. Maud croyait qu'en fin de compte un homme ne pouvait ressentir que du mépris pour une femme non mariée qu'il aurait séduite. C'était, là aussi, une conviction fort répandue dans la société de l'Île-du-Prince-Édouard du siècle dernier. Elle repoussa donc encore une fois Herman, cette fois pour de bon.

À partir de ce moment, le jeune homme traita Maud avec froideur, bien que celle-ci l'aimât aussi passionnément qu'avant. Folle de désir pour lui, elle n'arrivait pas à dormir. Les gens qui remarquaient sa mauvaise mine croyaient qu'elle pleurait la mort récente de son grand-père. Au printemps 1898, elle eut un dernier rendez-vous secret avec l'homme qu'elle considérerait toujours comme l'amour de sa vie. Au rez-de-chaussée de la maison plongée dans l'obscurité, dans une pièce où le clair de lune tombait en rayons obliques à travers les vieilles fenêtres, ils échangèrent un dernier baiser.

Maud retourna ensuite à Cavendish pour s'occuper de sa grand-mère Macneill, maintenant veuve. Elle avait d'autres projets d'écriture. À Lower Bedeque, un travail acharné lui avait permis de vendre des histoires à plusieurs revues. Herman détestait ses ambitions littéraires, mais même lui s'était révélé incapable de détourner Maud de ses projets.

Au mois de mars 1898, Maud écrivit à Edwin Simpson qu'elle ne l'aimait pas et que jamais elle ne l'épouserait. Elle espérait qu'Edwin réagirait avec colère, ce qui leur aurait permis de rompre complètement, mais la réponse du jeune homme ne fit que renforcer le sentiment de culpabilité de Maud. Il aimerait Maud jusqu'à la mort et ne pouvait supporter de la perdre. Pourquoi avait-elle changé? Pouvait-il conserver ne fût-ce qu'un soupçon d'espoir?

Non, répondit Maud, il ne devait conserver aucun espoir. Cette fois, elle se montra encore plus brutale, le suppliant de la libérer de chaînes qu'elle haïssait.

La deuxième réponse d'Edwin rendit Maud furieuse. Il disait qu'il ne pouvait la libérer de sa promesse «sans raison valable», et il lui proposait un marché. Il lui accorderait une certaine liberté d'action pendant trois ans. Après cette période, si elle ne voulait toujours pas devenir Mme Simpson, il sortirait de sa vie complètement. Entre-temps, ils continueraient à être amis et poursuivraient leur correspondance.

Maud lui fit alors parvenir un message si méchant qu'elle le regretta par la suite, mais qui sembla avoir l'effet voulu. Outre une lettre qui, en termes amers, rendait à Maud sa liberté, Edwin lui renvoya sa photo ainsi que les fleurs qu'elle lui avait données le soir où elle avait accepté de l'épouser. Maud lui écrivit une dernière lettre pour le remercier et lui demander son pardon. Elle brûla ensuite les lettres d'Edwin et se délecta de sa liberté retrouvée. Quelques semaines plus tard, cependant, Edwin lui écrivit de nouveau pour lui déclarer son amour éternel. Il fit la même chose en 1906, soit *huit ans* plus tard. Maud, lassée de toute cette histoire, lui signifia son refus définitif. En 1908, Edwin épousa une autre femme.

Si la fin de la relation amoureuse entre Maud et Edwin se révéla lassante, celle de son histoire avec Herman fut dramatique. De retour à Cavendish, Maud mourait d'envie d'entendre Herman, de se serrer contre lui, de l'embrasser une fois encore. Elle ne pouvait s'empêcher de penser à lui, bien qu'elle se fût juré de l'oublier. Elle se disait qu'elle devait vaincre son amour pour lui, comme s'il s'était agi d'une force malfaisante destinée à la détruire. En septembre 1898, six mois après avoir embrassé Herman pour la dernière fois, Maud était tellement sûre d'avoir triomphé de l'ennemi qu'elle décida de se mettre à l'épreuve en allant faire un court séjour à Lower Bedeque.

Herman était en train de faire les foins lorsque Maud arriva chez les Leard. Il vint jusqu'à la route pour la saluer, et, dès que leurs regards se croisèrent, Maud sut qu'elle aimait cet homme aussi passionnément qu'avant. Elle n'avait pas réussi l'épreuve. Pendant le reste de son séjour à Lower Bedeque, elle évita Herman le plus possible, en espérant ne jamais se retrouver seule avec lui. Herman Leard mourut huit mois plus tard, après sept semaines de grippe.

En apprenant la nouvelle, le 1er juillet 1899, Maud eut une réaction bizarre. Elle aurait voulu se trouver avec Herman dans sa tombe, mais, en même temps, elle se disait que le jeune homme lui appartenait dans la mort comme il n'avait pu lui appartenir dans la vie. Aucune autre femme ne pourrait plus jamais l'embrasser.

«Cet homme est mort, écrivit-elle dans une lettre, et je suis bien aise que cette histoire se soit terminée ainsi. Si Herman avait vécu, j'avoue que je n'aurais pu m'empêcher de l'épouser, et ç'aurait été un mariage désastreux.» Elle ajoutait pourtant que d'avoir aimé Herman avait «donné de la richesse et de la profondeur» à sa vie. «Je n'aurais pas raté cette expérience, m'eût-on proposé d'être une sainte en paradis!» Son histoire d'amour avec Herman Leard révéla à Maud des choses sur elle-même, lui conféra une certaine sagesse et contribua à faire d'elle l'écrivaine qu'elle est devenue.

Faisant le bilan de l'année 1897-1898, Maud dit que, pour elle, «l'enfer n'eût pas été pire que cette période». Dans ce cas, elle fit la preuve qu'elle pouvait écrire en enfer. En effet, cette année-là, elle n'écrivit pas seulement des douzaines de nouvelles, d'innombrables lettres et on ne sait combien de poèmes, mais elle déversa également des centaines de milliers de mots dans son journal intime. L'écriture était l'amie la plus fiable de Maud. Elle lui permettait d'échapper à ses ennuis et à ses tourments.

3

Les racines familiales

Maud naquit le 30 novembre 1874. Elle sut dès sa plus tendre enfance que sa mère venait d'une famille convenable et très pratiquante, qui avait joué un rôle important dans l'histoire de l'Île-du-Prince-Édouard. Vers la fin des années 1770, la famille Macneill avait été l'une des trois premières familles à s'établir à Cavendish et, comme l'avouait une grand-tante de Maud, «les Macneill s'étaient toujours considérés comme légèrement supérieurs au commun des mortels».

Les Macneill étaient orgueilleux, mais ils n'étaient pas ignorants. Maud croyait que c'était d'eux qu'elle tenait sa passion pour la lecture et son talent pour l'écriture. Le premier Macneill à avoir mis les pieds dans l'Île, John, était un cousin du poète écossais Hector Macneill. Le fils aîné de John, William, qui fut président de la Chambre des communes («speaker» en anglais) dans le gouvernement de l'Île, était connu sous le nom de Old Speaker Macneill. Lui et sa femme, Eliza, élevèrent une famille nombreuse et instruite. Un de leurs fils, Alexander Macneill, était le grand-père de Maud.

Alexander terrorisait Maud et se moquait souvent d'elle. Malgré tout, celle-ci admettait que c'était «un homme aux goûts littéraires sûrs et affirmés, qui possédait un talent réel pour la prose». Tout comme elle, il avait des idées poétiques, s'exprimait avec élégance et aimait la nature. Son frère William écrivit des vers satiriques, et un autre grand-oncle de Maud, James Macneill, était une espèce de génie excentrique qui composa, dans sa tête, des centaines de poèmes particulièrement spirituels. Il ne les écrivait jamais, mais les récitait aux gens qu'il aimait. Dans *Émilie de la Nouvelle Lune*, un livre que certains lecteurs ont préféré à *Anne... La Maison aux pignons verts*, Maud donna à la petite Émilie Starr un «cousin Jimmy», un adulte dont l'esprit ressemblait à celui d'un enfant. «"Et je te réciterai mes poèmes"», dit le cousin Jimmy à Émilie. «"Cet honneur, je le fais à bien peu de gens. J'en ai composé mille. Ils ne sont pas écrits, je les porte ici", compléta-t-il, en se frappant le crâne.»

L'une des sœurs du grand-père de Maud, Mary Macneill Lawson, était une femme remarquable par son cran et par sa mémoire. «C'est la femme la plus merveilleuse que j'aie connue, disait Maud. Elle avait une conversation brillante, et c'était un régal que d'entendre tante Mary raconter des histoires et des souvenirs de sa jeunesse, et rapporter dans le détail les faits et gestes des pionniers de l'Île-du-Prince-Édouard.»

La petite Maud adorait les histoires familiales, qu'elle écoutait avec avidité. Des années plus tard, elle parsema ses livres des meilleures d'entre elles. Elle était issue d'une famille de conteurs... et de femmes obstinées.

Lorsque Eliza Macneill épousa William, l'arrière-grand-père de Maud, elle souffrit si violemment du mal du pays qu'elle arpenta la maison de long en large pendant des semaines, exigeant que son époux la ramène en Angleterre et refusant d'enlever son chapeau à brides. Enfant, Maud se demandait si elle avait porté son chapeau même pour dormir. Eliza finit pourtant par pardonner à William et elle donna naissance à de nombreux petits insulaires.

Ses ancêtres paternels, les Montgomery, s'enorgueillissaient eux aussi de compter des femmes fortes dans leurs rangs. L'une des arrière-grands-mères de Maud, Betsy Murray, avait fait quelque chose de tout à fait exceptionnel pour l'époque: c'est elle qui avait demandé son futur époux en mariage. Les premiers

Montgomery de l'Île, Hugh et Mary, partirent d'Écosse en 1769 sur un bateau en route pour Québec. Pendant la traversée de l'Atlantique, Mary souffrit si violemment du mal de mer que lorsque le bateau jeta l'ancre au large de l'île du Prince-Édouard pour renouveler les provisions d'eau fraîche, le capitaine lui permit de descendre à terre un court moment. Une fois sur la terre ferme, cependant, Mary refusa de remettre les pieds sur le bateau. Aucun des arguments de son époux ne lui fit changer d'idée, et l'entêtement inébranlable de Mary Montgomery est l'une des raisons qui fit que, plus d'un siècle plus tard, Maud Montgomery naquit à l'Île-du-Prince-Édouard.

Maud était fière d'être une Montgomery. Elle prétendait que les lointains ancêtres écossais de son père étaient des chevaliers vivant dans des châteaux et que l'un d'entre eux était un courageux allié de Marie Stuart, reine d'Écosse. Maud se plaisait à imaginer que le sang de nobles personnages de romans coulait dans ses veines.

Toute sa vie, elle fut persuadée qu'elle tenait sa conscience et son sens du devoir des Macneill et le côté passionné et romantique de sa nature des Montgomery. Son personnage le plus célèbre, Anne Shirley, est elle aussi secrètement déchirée entre les comportements que le monde extérieur attend d'elle et les plaisirs doux et sauvages que sa nature lui intime de prendre. Dans *Anne... La Maison aux pignons verts*, lorsque son amour des fleurs incite Anne à se rendre à l'église le chapeau orné de boutons d'or et d'églantines, Marilla lui reproche de s'être rendue «ridicule». Marilla Cuthbert représente la voix d'une Macneill d'âge mûr dénonçant les agissements d'une jeune Montgomery.

▼

L'année même où les premières machines à écrire faisaient leur apparition sur le marché, Maud naissait dans une petite maison de bois d'un jaune brunâtre, dans le village de Clifton (qui deviendra par la suite New London), situé dans la plus petite province du Canada. Sa mère, Clara Macneill Montgomery, s'était mariée à vingt ans, et son père, Hugh John Montgomery, était un marchand local âgé de trente-trois ans.

Ils appelèrent leur unique enfant Lucy, en l'honneur de la mère de Clara, et Maud, en l'honneur d'une fille de la reine Victoria. Clara était la sixième et dernière enfant de Lucy et Alexander Macneill; John avait huit frères et sœurs. Maud pourrait se vanter de n'avoir pas moins de trente-cinq cousins germains.

Clara venait de Cavendish, un village de fermiers situé sur la rive nord de l'Île, à neuf milles de Clifton. Elle avait des traits délicats, de longs cils, et une épaisse chevelure d'un brun doré. L'une de ses amies d'enfance dit plus tard à Maud que Clara était noble, spirituelle, émotive, poète et très différente de ses sœurs Annie et Emily. Ces commentaires ravirent Maud, qui n'aimait pas Emily et qui jugeait qu'Annie, très correcte comme tante, aurait été une mère désastreuse pour elle.

Une vieille femme se rappelait qu'un jour où elle avait rendu visite à Clara, peu après la naissance de Maud, la jeune maman s'était exclamée d'une voix flûtée: «Je suis si heureuse de vous voir... La petite Lucy Maud est tellement mignonne et adorable, et Hugh John est absent, et je n'ai personne pour m'aider à me réjouir de mon bébé!» Maud adorait cette histoire. Bien qu'elle ne connût jamais sa mère, celle-ci lui manqua toute sa vie, surtout dans les moments de désespoir.

Maud jurait qu'elle se souvenait d'avoir vu sa mère étendue dans un cercueil, dans le salon des Macneill. Selon les spécialistes de la mémoire, il est peu probable qu'on se souvienne de choses qui ont eu lieu avant l'âge de quatre ans, et Maud n'avait que vingt et un mois au décès de sa mère, emportée par la tuberculose. Pourtant, elle décrivit la scène maintes et maintes fois: Maud, vêtue d'une petite robe blanche brodée, est dans les bras de son père. Des femmes assises chuchotent entre elles tout en lançant des regards de pitié vers le père et la fille. Par la fenêtre ouverte, le lierre qui grimpe au-dehors projette des ombres sur le plancher. Maud baisse les yeux vers sa mère, aussi belle dans la mort qu'elle l'avait été dans la vie.

Pourquoi ma mère était-elle immobile à ce point? Et pourquoi mon père pleurait-il? En me penchant, je posai ma petite main de bébé sur la joue de ma mère. Encore maintenant je peux sentir sa joue froide. Quelqu'un, dans la pièce, dit en sanglotant: «Pauvre enfant.» La froideur du visage de ma mère m'avait effrayée; me détournant d'elle, je m'accrochai au cou de mon père comme pour solliciter sa protection. Mon père m'embrassa.

À quatre ans, Maud savait que sa mère vivait au paradis. Un dimanche, à l'église, elle demanda tout bas à sa tante Emily: «C'est où, le paradis?» Emily pointa un doigt solennel vers le haut, et, pendant longtemps, Maud crut que le paradis se trouvait dans le grenier de l'église. Elle se promettait de grimper là-haut, un beau jour, afin de voir Clara.

▼

Hugh John Montgomery avait une barbe et une moustache touffues, des cheveux longs qui lui couvraient les oreilles, un front haut et une expression de douceur. Il avait du mal à rester en place et, comme capitaine dans la marine marchande, il avait déjà navigué jusqu'en Angleterre, en Amérique du Sud et aux Antilles. Peu après le décès de Clara, les affaires de Hugh John se mirent à péricliter. Bien qu'il fût populaire, il n'eut jamais de succès comme marchand, et il est fort possible qu'Alexander et Lucy Macneill l'aient considéré comme un mauvais parti pour leur fille, un séducteur ayant ravi une jeune fille qui était sa cadette d'une douzaine d'années. Maud, toutefois, l'aimait plus que tout autre personne au monde. Il l'appelait sa «petite Maudie» et, lorsqu'il la regardait, ses yeux brillaient de tendresse.

Lorsque Clara tomba malade, elle et Maud s'installèrent chez les Macneill, et c'est là que Clara mourut. Les austères parents de Clara proposèrent alors de garder Maud et de l'élever. Leur offre contraria-t-elle Hugh John? Une chose est sûre, il ne s'y opposa pas. Il était très attiré par les provinces de

l'Ouest, mais, pendant quelques années, Maud le vit régulièrement au domaine des Macneill.

Hugh John était encore dans l'Île lorsque Maud, âgée de
cinq ou six ans, fit un séjour à la ferme de son grand-père
Montgomery, au village de Park Corner, le long de la côte, à
une courte distance de Cavendish. Une nuit où, «complètement
éveillée et pleine d'entrain», elle se trouvait à la cuisine, elle
saisit par le mauvais bout un tisonnier chauffé au rouge.

Bien que la douleur fût insupportable, Maud apprécia
d'accaparer ainsi toute l'attention. Son grand-père Montgomery
rabroua la cuisinière pour sa négligence. Hugh John suppliait
tout le monde de faire quelque chose pour sa fille qui hurlait
de douleur. Les gens s'affairèrent, essayant différents traite-
ments. Maud, la main et l'avant-bras plongés dans un seau d'eau
froide, pleura jusqu'à ce qu'elle s'endorme. Le lendemain matin,
elle s'éveilla avec un terrible mal de tête; elle avait la fièvre
typhoïde.

Une visite de sa grand-mère Macneill surexcita Maud, dont
la température augmenta de façon dramatique. La fièvre était si
forte que tout le monde crut que Maud allait mourir. Pour tenter
de la calmer, son père lui dit que sa grand-mère Macneill était
retournée à Cavendish. Aussi, quand sa grand-mère entra dans
sa chambre par la suite, Maud crut qu'il s'agissait d'une femme
appelée Mme Murphy. Comme Mme Macneill, Mme Murphy était
grande et mince. Cette illusion persista pendant des jours, et,
comme Maud n'aimait pas Mme Murphy, elle refusait de voir sa
grand-mère. Au fil des ans, même quand Maud était bien
portante, ses fantasmes se révéleraient aussi présents que la
réalité.

«Un soir, se rappelait Maud, j'ai tout simplement compris
qu'il s'agissait de ma grand-mère. J'étais tellement heureuse, et
je voulais qu'elle me garde dans ses bras. Je n'arrêtais pas de lui
caresser le visage en disant d'une voix émerveillée: "Vous n'êtes
pas Mme Murphy, finalement; vous êtes *vraiment* ma grand-
mère."»

Maud avait sept ans lorsque Hugh John commença à passer
ses étés en Saskatchewan, à deux mille milles à l'ouest de

l'Île-du-Prince-Édouard. Bientôt, il s'installa là-bas pour de bon. Maud ne lui reprocha jamais de l'avoir laissée derrière avec les Macneill, mais, dans *Émilie de la Nouvelle Lune*, elle inventa une petite héroïne, orpheline de mère, que son père refuse de confier à l'orgueilleuse famille de sa femme, les Murray, pour que ceux-ci l'adoptent:

«Ils m'ont alors proposé de te ramener avec eux et de veiller à ton éducation pour que tu "occupes le rang de ta mère". J'ai refusé. Ai-je bien fait?

— Oui, oui, oh oui! murmura la petite fille, en serrant son père dans ses bras à chaque affirmation.

— J'ai dit à Oliver Murray qu'aussi longtemps que je vivrais je n'accepterais pas d'être séparé de mon enfant.»

Les Murray du roman, contrairement aux Macneill de la vraie vie, n'adoptèrent pas la fillette avant la mort de son père.

4

La solitude d'une petite étrangère

Maud continua à vivre avec ses grands-parents Macneill dans leur ferme confortable de Cavendish, mais, pour son plus grand bonheur, elle se rendait souvent au village côtier de Park Corner. Elle aimait beaucoup rendre visite à son grand-père paternel, Donald Montgomery, qui vivait dans une maison remplie de placards, de recoins et de petits escaliers. Maud adorait son grand-père Montgomery. Déjà, à cette époque, il était trop sourd pour tenir une véritable conversation, mais il faisait toujours sentir à Maud à quel point il était heureux de la voir. C'était un gentleman de belle et noble apparence qui était membre du Sénat canadien. Maud le considérait comme «un adorable vieillard».

À Park Corner habitaient aussi un oncle et une tante de Maud, John et Annie Campbéll. Cette dernière était une des sœurs de Clara, la mère de Maud. «Mon oncle John Campbell, disait Maud, vivait dans une grande maison blanche, nichée au cœur des vergers.» Elle séjournait chez les Campbell une ou deux fois par année, et, dès son arrivée, «un joyeux trio de cousines surgissait et m'entraînait au milieu des salutations et des rires».

Le domaine des Campbell était le foyer le plus heureux que Maud connût jamais hors de chez elle, et elle en recréa les moindres recoins, jusqu'aux gracieux bouleaux argentés, dans ses romans *Pat de Silver Bush* et *Mademoiselle Pat*.

«Silver Bush ressemblait à ces maisons qui ont été aimées pendant des années. C'était une maison où personne ne semblait pressé par le temps... une maison qu'on ne pouvait pas quitter sans se sentir bien, d'une certaine façon... une maison où l'on pouvait toujours entendre un rire. Il y avait eu tant de rires à Silver Bush que chaque mur semblait être peint de bonheur. C'était une maison où l'on se sentait bienvenu dès qu'on en franchissait le seuil. Elle vous emportait... vous reposait. Même les chaises réclamaient que vous vous y asseyiez, tant elles étaient accueillantes.»

▼

Maud fut plus heureuse pendant sa tendre enfance qu'elle le fut en abordant l'adolescence. En grandissant, elle se rebiffa contre les règles strictes imposées par ses grands-parents. Avec l'âge, ceux-ci avaient de plus en plus de mal à supporter l'énergie et l'entêtement de Maud qui, de son côté, appréciait de moins en moins leur compagnie.

Mais même avant de fréquenter l'école, et tout en sachant qu'elle appartenait à deux grandes et solides familles, Maud connaissait des moments d'intense et déroutante solitude. Lorsque cela se produisait, elle se réfugiait dans son monde de rêves. Son imagination, comme celle d'Anne Shirley, nimbait de magie des choses auxquelles les autres ne voyaient rien d'extraordinaire et lui était d'un grand réconfort. Elle devenait aussi très secrète. Comme elle craignait les moqueries de ses grands-parents, elle gardait pour elle-même ses pensées les plus précieuses.

Maud n'avait que cinq ans lorsqu'elle vécut une aventure fort étrange à Charlottetown, la capitale de l'Île-du-Prince-Édouard, où ses grands-parents l'avaient emmenée. Comme Maud n'avait jamais vu de ville, elle était très excitée. À un moment donné, ses grands-parents s'étant arrêtés pour parler à des amis, elle se glissa le long de ce qu'elle décrira plus tard comme la rue la plus magique qu'elle eût jamais vue. Le simple fait d'apercevoir une femme, sur un toit, en train de secouer un tapis, stupéfia la fillette.

Maud descendit quelques marches et se retrouva dans une pièce sombre, remplie de barils et de copeaux de bois. Là, elle aperçut une petite fille aux yeux noirs qui portait une cruche. Les fillettes sympathisèrent aussitôt. Elles bavardèrent un moment, parlant de leur âge, de leurs poupées et d'à peu près tout ce qu'elles connaissaient, en oubliant toutefois d'échanger leurs noms. Elles ne se revirent jamais. Maud courut retrouver ses grands-parents, qui ne s'étaient même pas aperçus de son absence, et ne leur dit pas un mot de son aventure. Cette histoire lui appartenait, à elle toute seule.

Ses amies imaginaires faisaient également partie de ses secrets. Une haute et sinistre bibliothèque servait à ranger la vaisselle dans le salon des Macneill. Elle était d'un noir brunâtre, et fort laide, mais chacune de ses deux portes possédait une grande vitre ovale. Quand elle était petite, Maud apercevait «Katie Maurice» dans une des vitres, et «Lucy Gray» dans l'autre. Toutes deux n'étaient que son propre reflet, mais, pour elle, les deux fillettes étaient aussi réelles que les gens qu'elle rencontrait dans la vie. Maud disait qu'elle pouvait «rester devant cette porte pendant des heures, à échanger des confidences avec Katie». Lorsqu'elle passait dans le salon, Maud n'oubliait jamais de saluer Katie.

Lucy Gray, qui était veuve, accablait Maud du récit déprimant de ses nombreux problèmes. Alors que Maud aimait Katie, elle ne supportait Lucy que pour ménager les sentiments de la vieille dame. La veuve était jalouse de Katie, qui, pour sa part, ne l'aimait guère. Même toute jeune, Maud ne se contentait pas d'inventer des personnages, elle les mettait aussi en situation de conflit. Grâce à *Anne... La Maison aux pignons verts*, des millions de lecteurs découvriraient un jour la petite fille dans la vitre. Anne Shirley dit que Katie est «[sa] consolatrice, la grande joie de [sa] vie». La petite Maud, elle, l'avait inventée et aimée parce qu'elle n'avait pas souvent de vraies amies pour partager ses jeux.

▼

À sept ans, Maud révélait déjà une nature exceptionnellement passionnée. La mort de sa mère, son accès de fièvre typhoïde, sa maigre silhouette et sa tendance à souffrir de rhumes interminables amenaient les gens à la croire fragile, mais elle n'avait rien de fragile pour ce qui était des émotions. La colère, la tristesse, la peur, la honte et l'indignation face aux injustices étaient plus marquées chez elle que chez les autres enfants.

À la noce de sa tante Emily, elle déclara à son nouvel oncle, tout en le martelant de ses petits poings, qu'elle le détestait de leur arracher ainsi Emily. Une autre fois, elle refusa de serrer la main d'un vieil homme qui quittait la demeure des Macneill après un séjour d'une semaine et qui, tout ce temps, avait fait enrager Maud en l'appelant Johnny pour la taquiner. Cinq ans plus tard, elle confiait à son journal intime: «M. James Forbes est mort. C'était le frère d'un homme horrible... qui m'appelait "Johnny".» Cet homme horrible était une des raisons pour lesquelles Maud, devenue adulte, écrivait: «Je ne taquine jamais un enfant.»

Bien que Maud gardât de ses grands-parents le souvenir d'un couple âgé et strict qui lui imposait une solitude sévère, les Macneill lui avaient procuré des camarades de jeux. Lorsque Maud avait sept ans, ils invitèrent deux orphelins, Wellington et David Nelson, à venir habiter chez eux. Les trois années que les garçons passèrent là furent les plus heureuses de l'enfance de Maud.

À présent, elle avait des camarades en chair et en os, et la maison débordait de vie. Les garçons aimaient lutter et se rouler par terre, ou alors jouer aux dominos ou au morpion avec Maud. Les soirs d'hiver, Dave et Well étudiaient dans la cuisine à la lueur des chandelles. Pendant ce temps, au salon, devant un feu de foyer crépitant, Mme Macneill cousait, M. Macneill lisait son journal et Maud se perdait dans des recueils de contes de fées. Elle adorait ces soirées.

Maud, Dave et Well grimpaient aux arbres, couraient à travers les champs avoisinants, s'occupaient de leur carré de légumes et s'ébattaient sur la plage de Cavendish. Assis sur un pont à l'ombre des arbres, équipés de simples fils terminés par des hameçons, ils pêchaient la truite dans un ruisseau. Maud répugnait à accrocher des vers aux hameçons, aussi les garçons le faisaient-ils à sa place.

Les trois enfants se construisirent une cabane parmi les épinettes, non loin du verger des Macneill. Ils plantèrent des pieux afin de soutenir un réseau de branches de sapins destinées à fermer leur cachette, et ils fabriquèrent une porte avec des planches grossières. À l'aide de charnières de cuir taillées dans de vieilles bottes, ils fixèrent la porte sur un bouleau. Dans cette maison qu'ils avaient bâtie, ils s'inventèrent des mondes à eux.

Ils se plongeaient également dans des états de terreur délicieuse en racontant des histoires de fantômes hantant un bosquet d'épinettes. Plus tard, Anne créerait la Forêt hantée pour *Anne... La Maison aux pignons verts*, mais, lorsqu'elle était enfant, le bosquet d'épinettes était «un lieu vraiment terrible aux yeux des trois jeunes chenapans que nous étions».

Un jour, au crépuscule, ils virent une de ces «choses blanches» tant redoutées sortir du verger et se diriger vers eux en ondulant. Les enfants, morts de peur, coururent en hurlant jusqu'à la ferme d'un voisin, à qui ils racontèrent leur histoire. Ils étaient à ce point terrifiés qu'ils refusèrent de rentrer chez eux avant que le grand-père Macneill apparaisse et les ramène à la maison, où ils subirent les moqueries de tout le monde pendant des jours. La «chose blanche» n'était qu'une nappe étalée sur l'herbe.

Dave et Well traitèrent toujours Maud avec gentillesse. Et puis un jour, lorsque Maud avait dix ans, ils partirent brusquement pour aller vivre ailleurs, sans que Maud sache la raison de ce départ. Il est vrai que ses grands-parents vieillissaient et qu'ils n'avaient peut-être plus envie de supporter deux jeunes garçons exubérants. Maud, elle, se sentit seule et abandonnée.

▼

Longtemps après que les garçons eurent disparu de sa vie, Maud continuait à s'effrayer elle-même avec des visions d'esprits malfaisants dans les bosquets et dans les vergers, mais rien ne la terrorisa jamais davantage que les «bois de la route de Cavendish». Les Macneill envoyaient souvent la fillette chercher du thé et du sucre à un magasin qui se trouvait à un mille de chez eux. Pour s'y rendre, elle devait traverser un bout de forêt. Des arbres menaçants se dressaient autour de la route, faisant naître chez Maud la crainte que des bêtes abominables ne soient tapies dans l'ombre.

Elle ne fit jamais part de ses frayeurs à ses grands-parents, mais, même en compagnie d'une amie et en plein jour, il lui fallait rassembler tout son courage pour se rendre au magasin en traversant ce boisé. Ce n'est qu'à l'âge de trente-trois ans qu'elle osa parcourir seule cette route à la nuit tombée.

Maud, qui éprouvait des frayeurs intenses et qui avait un tempérament colérique, était aussi fort susceptible. Elle était facilement blessée, et elle connut ses pires moments d'humiliation dans la petite école blanche située juste au-delà de la barrière des Macneill.

La première journée d'école de Maud se déroula à merveille. Elle lut à haute voix un poème où il était question d'une abeille affairée, ce qui lui valut le commentaire suivant de l'institutrice: «Cette petite fille lit mieux que n'importe qui parmi vous, bien qu'elle soit plus jeune et qu'elle n'ait jamais fréquenté l'école auparavant.» Ce compliment ravit Maud. Le lendemain matin, cependant, tout en se glissant timidement à sa place, elle oublia d'enlever son chapeau, s'attirant les rires moqueurs de toute la classe.

«L'affreux sentiment de honte et d'humiliation qui me submergea à ce moment-là m'envahit encore maintenant, écrivit-elle trente-sept ans plus tard. Je sortis de mon banc en rampant, petit morceau d'humanité écrasé et humilié.»

Maud voulait simplement être comme les autres enfants. Mais, alors que ceux-ci allaient à l'école pieds nus, sa grand-mère la forçait à porter des bottines à boutons. Les autres emportaient leurs goûters à l'école, gardaient leur lait au frais dans le ruisseau et se rassemblaient en joyeux groupes sur le terrain de jeux pour grignoter leurs repas. Maud, sur les ordres de sa grand-mère, rentrait tristement à la maison, où elle avait droit à un repas chaud.

Un hiver, sa grand-mère lui fit porter d'horribles tabliers garnis de manches. Aucune fillette de Cavendish n'avait jamais porté de vêtement aussi bizarre en classe, et lorsqu'un garçon se moqua de son «tablier de bébé», Maud se sentit très humiliée. Elle n'oublia jamais ces affronts et écrivit même un jour: «Je crois que la majorité des adultes ne soupçonnent pas à quel point les enfants sensibles souffrent de toute différence marquée entre eux-mêmes et les autres habitants de leur petit monde.»

Si sa grand-mère Macneill posait un problème, plusieurs de ses professeurs en posaient également. Un instituteur à favoris roux ordonna à Maud, et seulement à Maud, de mémoriser des formules mathématiques qu'aucun enfant de sept ans n'aurait pu comprendre. Des décennies plus tard, Maud ne lui avait toujours pas pardonné. Un autre instituteur lui infligea même le fouet pour avoir dit «par la peau des dents». C'est une expression qui vient directement de la Bible, mais cet homme jugeait l'expression vulgaire.

Les professeurs pouvaient blesser Maud davantage en lui adressant des paroles cruelles qu'en lui infligeant des coups de baguette de bois dur sur les doigts. «Les bâtons et les pierres peuvent me briser les os, mais les mots jamais ne m'atteindront», dit un proverbe anglais. Maud savait que c'était un mensonge et elle détestait les professeurs qui blessaient les jeunes à coups de sarcasmes. Izzie Robinson était une institutrice de ce genre, qui s'attaquait sans pitié à Maud. Trente-cinq ans plus tard, Maud prit sa revanche en utilisant Izzie Robinson comme modèle pour «Mlle Brownell», l'institutrice si malveillante d'*Émilie de la Nouvelle Lune*.

En fait, les petites héroïnes d'*Anne... La Maison aux pignons verts* et d'*Émilie de la Nouvelle Lune* subissent des humiliations semblables à celles dont Maud eut à souffrir dans son enfance. Maud avait beaucoup de points communs avec Anne Shirley et Émilie Starr, les personnages qu'elle avait créés: toutes trois étaient des fillettes maigres, voyantes et bavardes qui n'avaient pas de parents pour les protéger des adultes qui régissaient leur vie, souvent avec cruauté.

▼

Personne n'aimait plus les chats que Maud Montgomery. Elle avait neuf ans lorsque sa chatte préférée mourut après avoir avalé de la mort-aux-rats. C'était une chatte rayée, de couleur grise, qui s'appelait Pussywillow. Maud resta près d'elle jusqu'à la fin et vit ses yeux vifs s'éteindre et ses pattes se raidir. Aucune des créatures que Maud avait aimées jusque-là n'avait disparu à tout jamais, et la fillette en devint folle de douleur. Ses sanglots et son agitation frénétique n'éveillèrent cependant aucune pitié chez sa grand-mère Macneill. Cette femme de soixante et un ans dit froidement à l'enfant au cœur brisé qu'elle «aurait de véritables raisons de pleurer, un jour».

Lucy Woolner Macneill ne comprit jamais vraiment sa petite-fille Maud. Elle et son mari étaient tous deux dans la cinquantaine lorsqu'ils adoptèrent le bébé, et elle avait déjà élevé six enfants. Elle les avait tous aimés, mais, lorsque Maud arriva dans son foyer, la vieille dame semblait avoir épuisé toute son affection. Les Macneill peuvent fort bien avoir élevé Maud par sens du devoir et non par amour. Soucieux de préserver la bonne réputation de la famille, ils voulaient sans doute que les voisins les voient faire «ce qu'il convenait de faire».

Un cousin de Maud se souvenait de leur grand-mère comme d'une des femmes «les plus aimables, attentionnées, efficaces et généreuses» qu'il ait connues, une femme inoubliable «qui [lui] prodiguait ses attentions et sa gentillesse». Il n'était toutefois qu'un visiteur estival chez les Macneill. Maud, elle, était sous la coupe de sa grand-mère à longueur d'année, et la Lucy Woolner Macneill qu'elle connaissait était fort différente.

Une photo de grand-mère Macneill révèle une femme au visage étroit, au dos droit, à l'air furieux, portant des lunettes cerclées d'acier et une robe sombre qui balaie le sol. Maud la trouvait pourtant jolie: grande et mince, avec des yeux gris et des joues roses, et, dans sa robe de satin noir, aussi majestueuse qu'une reine. Une chose est sûre, elle exerçait sur Maud une autorité royale.

Autant Maud aimait les chats, autant sa grand-mère les détestait. Maud était affectueuse, impulsive et romantique; sa grand-mère – froide, distante et toujours maîtresse d'elle-même – était une femme terre à terre qui exigeait de Maud qu'elle soit obéissante et tranquille. Maud possédait un esprit créateur de miracles; sa grand-mère possédait un esprit excluant tout ce qui n'était pas la réalité. Maud adorait les livres; sa grand-mère lui reprochait de passer trop de temps à lire. Maud appréciait particulièrement les romans; sa grand-mère jugeait ceux-ci nuisibles et refusait parfois de lui en laisser lire.

Maud aimait la compagnie des gens; sa grand-mère, avec le temps, en vint à ne plus vouloir accueillir personne chez elle, à l'exception de la famille. Elle désapprouvait les rencontres de jeunes, et, pendant un certain temps, elle interdit même à Maud de participer aux réunions de la Société littéraire locale.

Lorsque Maud la supplia de lui laisser porter une frange, sa grand-mère refusa. Un jour que Maud était allée se promener dans les bois, sa grand-mère l'accusa de s'être esquivée avec de mauvaises intentions, et elle l'injuria au point que la jeune fille aurait voulu mourir. Si Maud se rebellait, de quelque façon que ce soit, sa grand-mère lui rappelait qu'elle devait la nourriture qu'elle mangeait, les vêtements qu'elle portait et le toit qui l'abritait non pas à son père mais à la bonté des Macneill. Lorsque Maud n'était pas sage, sa grand-mère l'obligeait à s'agenouiller sur le sol pour lui demander pardon. Maud n'oublia jamais l'humiliation de ces moments.

Dans *Anne… La Maison aux pignons verts*, elle attribua à Marilla des qualités qui faisaient défaut à Lucy Woolner Macneill – le sens de l'humour et, à la fin, un amour sincère pour la petite orpheline –, mais elle mit aussi beaucoup de traits de sa véritable grand-mère dans la mère adoptive du roman. Marilla est grande, mince, convenable et sans imagination. Son sourire est «rouillé par le manque d'habitude». Elle se méfie du soleil, sourit rarement et désapprouve les fillettes bavardes et émotives.

Maud n'aimait pas son premier prénom, Lucy, et quand Anne se plaint de ce que son prénom n'est pas romantique, Marilla répond d'un ton désapprobateur: «Romantisme, fadaises que tout cela! [...] Anne est un bon prénom, solide, raisonnable, ordinaire.» Aux yeux de Marilla, cependant, le pire défaut d'Anne est sa tendance à rêvasser. «Vous feriez mieux de vous habiller, de descendre, et de ne pas vous laisser tourmenter par votre imagination», dit-elle à Anne. «Le petit déjeuner vous attend. Lavez-vous le visage et peignez-vous les cheveux. Laissez la fenêtre ouverte et défaites complètement le lit, en retournant les draps sur le pied.»

Lucy Woolner Macneill et Marilla Cuthbert sont toutes deux des maîtresses de maison hors pair. Marilla dit d'ailleurs à Anne: «Je n'ai que faire des petites filles qui ne savent pas ranger leurs affaires.» Elle insiste aussi pour lui faire savoir ceci: «Quand je vous demande quelque chose, je veux que vous m'obéissiez immédiatement et que vous ne restiez pas sur place à faire de grands discours. Allez, et faites ce que je vous ai ordonné.» On croirait entendre la grand-mère de Maud.

Le livre qui se rapproche pourtant le plus de la vie de Maud est *Émilie de la Nouvelle Lune*. Dans ce roman, une petite orpheline, Émilie Starr, doit elle aussi faire face à une femme grande, maigre et froide, aux lèvres pincées et satisfaite d'elle-même. Tante Élisabeth Murray porte une robe de satin noir très raide. Elle déteste les chats (elle ne toucherait jamais un chat, «pas plus qu'un serpent») et ordonne de noyer un chaton que vient de recevoir Émilie. Ennemie jurée du moindre plaisir, tante Élisabeth réprouve le patinage, garde sa maison dans la pénombre, interdit à Émilie de lire de «mauvais livres», dit que la fillette perd son temps à écrire des bêtises et l'oblige à porter des bottines et d'affreux tabliers.

En voyant Émilie pleurer à la lecture d'un poème mélancolique, sa tante Élisabeth lui dit avec dédain: «Tu dois être un peu folle.» La vieille dame dit aussi: «Les petites filles qui ne connaissent rien à rien devraient tenir leur langue. [...] Je n'esquive pas mon devoir. [...] Tu étais orpheline, sans le sou, et je t'ai prise chez moi. Je t'ai offert un toit, de la nourriture, de l'instruction, de la bonté, et c'est *cela*, ta reconnaissance? [...] Tu es une ingrate.»

Dans son journal intime, Maud se plaignait de ce que sa grand-mère Macneill fût incapable de comprendre que quelqu'un apprécie quelque chose qu'elle-même n'aimait pas, et, dans son roman, Émilie se demande: «Pourquoi [sa tante Élisabeth] pense-t-elle toujours que les gens qui n'agissent pas comme elle sont fous?»

▼

La grand-mère de Maud avait un allié dans la personne de son mari. Sur une photo, Alexander Macneill fixe l'objectif comme s'il voulait briser l'appareil avec sa canne. Vêtu d'un costume noir, le visage entouré d'une frange de cheveux blancs et laineux, il est assis, son chapeau noir posé sur son genou droit. Il ne sourit pas et il a un air vaguement simiesque.

Le grand-père Macneill n'était pas trop déplaisant lorsque Maud était très jeune, mais lorsque celle-ci atteignit l'adolescence, et que lui-même avait dans les soixante-dix ans, il était tyrannique et acariâtre. Il terrorisait Maud et trouvait souvent le moyen de la froisser. Il maniait les mots avec brutalité, et lui lançait des piques qui la blessaient jusqu'à l'âme. Il injuriait également les amis de Maud. Il lui arrivait d'embarrasser celle-ci par un mouvement de gentillesse inattendu, mais, la plupart du temps, Alexander Macneill était vaniteux, injurieux, injuste, difficile à satisfaire et facilement offensé.

Maud sentait que, pour ses grands-parents, une adolescente ne devrait éprouver aucun besoin ni désir différents des leurs et ne devrait pas disposer de plus de liberté qu'un bébé. Tout bien considéré, concluait-elle, «il est fort malheureux, pour un enfant, d'être élevé par des vieillards».

Lorsque les fils et les filles des Macneill – les oncles et les tantes de Maud – leur rendaient visite, ils se sentaient libres de la taquiner, de la rabrouer, de l'asticoter ou de la harceler.

Elle n'avait pas de parents pour la défendre, et ses grands-parents n'étaient pas seulement impuissants à la protéger de ces attaques, ils participaient à celles-ci en débitant la liste de ses défauts et de ses erreurs. Lorsque Maud tentait de se défendre, elle se voyait reprocher son impolitesse. Elle remarquait pourtant que ses cousins pouvaient «répliquer» sans s'attirer d'ennuis. Maud se sentait étrangère dans sa propre demeure.

Est-il si étonnant qu'elle se soit sentie à part, qu'elle ait cherché du réconfort dans ses promenades solitaires, qu'elle ait trouvé des amis auprès des arbres et des fleurs, qu'elle se soit tournée vers le monde imaginaire des livres, qu'elle ait vécu au cœur des rêves et que, seule comme elle l'était, elle ait couché ses visions et ses idées sur papier?

5

Au royaume des rêves

Maud ne manqua jamais de nourriture saine, de vêtements propres et d'un bon lit; pourtant, la façon dont les Macneill et certains instituteurs la tourmentaient la convainquirent que nombre d'adultes tiraient beaucoup de satisfaction à se montrer injustes envers les enfants. Elle se jura de ne jamais devenir ce genre de femme, et, comme elle était douée d'une excellente mémoire, elle conserva des souvenirs précis de son enfance et finit par peupler ses histoires d'adultes souvent cruels envers d'innocents enfants. Ses meilleurs romans mettent en scène des fillettes qui triomphent d'adultes froids ou injustes, soit en prouvant qu'ils ont tort, soit en gagnant leur amour.

Prenons par exemple Mme Rachel Lynde, dans *Anne... La Maison aux pignons verts*, qui, sans être intentionnellement cruelle, se montre irréfléchie. En voyant Anne pour la première fois, elle s'exclame avec dédain: «Eh bien, ce n'est sûrement pas pour votre apparence qu'on vous a choisie, c'est sûr et certain [...]. Elle est très maigre et très ordinaire, Marilla. Venez donc ici, mon enfant, laissez-moi vous regarder. Doux Jésus, a-t-on jamais vu pareilles taches de rousseur? Et elle a des cheveux couleur carotte!»

Anne se rend aussitôt célèbre en hurlant à Mme Lynde: «Je vous déteste.» Elle lui dit qu'elle est grossière et insensible, grosse et maladroite, et jure qu'elle ne lui pardonnera *jamais* de l'avoir vexée de la sorte. Mme Lynde finit pourtant par montrer qu'elle a bon cœur et qu'elle éprouve une affection réelle pour Anne. Pour Maud, dans la vraie vie, la victoire sur des adultes rudes et insensibles ne fut jamais aussi facile.

La vie n'était cependant pas entièrement mauvaise pour elle. La beauté de l'Île-du-Prince-Édouard rachetait souvent le caractère désagréable de ses tuteurs.

L'Île-du-Prince-Édouard, dont la longueur n'excède pas 145 milles, est la plus petite – et la plus jolie – des provinces canadiennes. Lorsque Maud était enfant – avant l'époque des autoroutes, des automobiles, des centres commerciaux et des motels —, elle était encore plus jolie que maintenant. Environ 109 000 habitants profitaient de ses charmes, dont un bon nombre de fermiers possédant de belles granges, des champs bien entretenus et des chevaux à la robe lustrée. Des forêts de feuillus et de conifères couvraient le tiers des terres. Les fougères poussaient à profusion dans les bois, et, dans les champs, une multitude de fleurs dansaient au gré du vent. Des routes de terre rouge serpentaient à travers des champs vallonnés dont le vert rappelait l'Irlande, traversaient d'agréables ruisseaux et contournaient des étangs scintillants, reliant ainsi les villages entre eux. Les habitants de l'Île construisaient des maisons de bois, qu'ils peignaient de couleurs vives, qu'ils entretenaient soigneusement et qu'ils entouraient de fleurs.

Bien que la rive nord, où vivait Maud, pût s'enorgueillir des dunes et des plages les plus belles du Canada, on pouvait entendre la mer partout dans l'Île. La province se situe dans une grande baie du golfe du Saint-Laurent. Les Micmacs l'appelaient *Abegweit*, ce qui signifie ou bien «qui flotte sur la vague toute proche» ou bien «amarrée dans l'abri que constitue la côte qui l'entoure». Maud grandit au milieu de gens qui qualifiaient leur île natale de «jardin du golfe» et qui l'aimaient beaucoup.

«Nous, les habitants de l'Île-du-Prince-Édouard, sommes une race loyale, écrivit-elle un jour. Au plus profond de notre âme, nous croyons qu'aucun lieu ne se compare à la petite province qui nous a vus naître.» Et, pour des enfants, «je ne peux imaginer meilleur endroit où grandir».

▼

Le plus beau lieu de la province était sans contredit Cavendish, et, malgré tous les reproches que Maud pouvait adresser à ses grands-parents, le plus beau coin de Cavendish était le domaine des Macneill. Des pommiers, des cerisiers, des érables et des épinettes poussaient à proximité de la maison. À moins de un mille de distance, le golfe aux eaux bleues s'étendait jusqu'à l'horizon. Maud s'ébattait dans la grange avec ses chatons, traînait dans les marches de pierre au crépuscule et nourrissait ses rêves au milieu des arbres qui bruissaient dans la brise venue du large. Toute sa vie, elle aimera le domaine ancestral des Macneill plus que tout autre endroit au monde.

Enfant, elle s'émerveillait de la splendeur du salon dans lequel sa mère avait été exposée après sa mort. Il y avait des rideaux de dentelle aux fenêtres, ainsi que des stores constitués de lamelles vertes; en fin de journée, on voyait flotter des particules de poussière dans les rayons obliques du soleil. Le tapis était un superbe tourbillon de roses et de fougères. Les fauteuils et le canapé, parsemés de coussins et de napperons, étaient pleins de dignité. Dans cette pièce, rien ne changeait jamais. Peut-être ce salon était-il semblable à des centaines d'autres de l'Île-du-Prince-Édouard, mais, pour Maud, il était digne d'un roi.

La «chambre d'amis», destinée aux invités qui restaient à coucher, semblait également magnifique aux yeux de Maud. Bien qu'elle mourût d'envie d'y coucher au moins une nuit dans sa vie, ses grands-parents lui en refusèrent toujours la permission.

En hiver, les pièces situées à l'étage étaient trop froides pour être confortables, aussi la chambre de Maud se trouvait-elle à côté du salon du rez-de-chaussée. Chaque soir, à huit heures, sa grand-mère lui ordonnait de quitter le salon et d'aller se coucher. Maud se retirait dans sa chambre, s'agenouillait pour dire ses prières, s'allongeait dans son lit et observait les reflets du foyer du salon danser au plafond de sa chambre. Avant de sombrer dans le sommeil, elle écoutait le vent et s'inventait des rêves plus beaux que la triste ou ennuyeuse réalité. Car Maud connaissait déjà l'art de s'évader par l'esprit.

L'été, elle couchait souvent dans le «poste de guet», une petite pièce située à l'étage, d'où elle avait une vue très vaste sur les collines et sur les bois de la partie ouest de Cavendish. En elle-même, Maud appelait cette pièce son «boudoir». C'était là qu'elle gardait ses livres, ses revues, ses bibelots et cinq poupées, dont l'une avait perdu un bras et une autre, la moitié de la tête. Maud avait un faible pour les poupées mutilées, mais elle avait attribué à chacune des cinq poupées des noms recherchés. La plus grande s'appelait Roselle Heraldine.

La *véritable* chambre de Maud, située elle aussi à l'étage, donnait au sud et, de sa fenêtre, Maud pouvait voir, au-delà des pommiers qui frôlaient presque le mur de sa chambre, le «champ de la colline». Cette petite chambre, meublée d'un lit blanc et ornée de rideaux de mousseline, fut sienne de sa plus tendre enfance jusqu'à l'âge de trente-six ans. C'est là que, petite fille, elle rêvait, les yeux fixés sur les étoiles; elle priait près de la fenêtre ouverte, s'emplissait les narines de l'odeur du trèfle montant dans l'air nocturne, écoutait les arbres parler comme des humains. C'est là que, devenue femme, elle pleurait et exultait. C'était son «nid blanc et paisible». À l'âge adulte, elle croyait qu'elle pourrait mourir s'il lui fallait quitter ce lieu à jamais.

Lorsque la petite Maud était seule, ou que quelqu'un l'avait blessée, elle trouvait un réconfort dans la nature. Les soirs d'été, après une averse, quand le soleil baignait de nouveau les vallées de l'Île et que des ombres immenses s'allongeaient sur l'herbe mouillée, tout prenait un éclat surnaturel. De tels moments emplissaient Maud d'une joie enivrante.

Songeant à la façon dont elle était devenue écrivain, Maud se souvenait que, en tant qu'enfant vivant à l'Île-du-Prince-

Édouard, elle était «malgré tous les tracas du quotidien, très proche d'un royaume d'une beauté idéale. Entre ce royaume et moi, il n'y avait qu'un voile très mince. Jamais je n'ai pu écarter complètement ce voile, mais il arrivait parfois qu'une brise l'agite momentanément, et j'entrevoyais alors, un bref instant, le royaume enchanteur qui se trouvait derrière – ce n'était qu'une vision fugitive, mais ces visions faisaient que la vie valait la peine d'être vécue.»

Dans *Émilie de la Nouvelle Lune*, elle utilise des mots semblables pour décrire «le déclic» qui se produit souvent chez sa petite héroïne. C'est une vision fugitive de ce monde secret, un soupçon de découverte qui «lui coupent le souffle par l'ampleur des délices entrevues». «Chaque fois que se déclenchait "le déclic", Émilie sentait que la vie était une merveille mystérieuse à la beauté sans cesse renouvelée.» Pour la jeune Maud Montgomery, dont l'imagination était au moins aussi fertile que celle d'Émilie, d'Anne ou de toutes ces jeunes filles qu'elle créerait un jour, le Cavendish de la fin du dix-neuvième siècle était rempli de déclics, de traces de paradis et de magie.

«Je possédais, grâce à mon imagination fertile, se souvenait Maud, un passeport pour le Royaume des merveilles. En un clin d'œil, je pouvais me transporter dans des lieux où je vivais de merveilleuses aventures, sans contrainte de temps ou de lieu. Tout baignait dans une grâce et un charme féeriques, créés par ma propre imagination.»

Munie elle aussi du «passeport» de Maud Montgomery pour le Royaume des merveilles, Anne Shirley pouvait même imaginer qu'elle était «le vent qui souffle, là-haut, dans le faîte de ces arbres. Lorsque j'en aurai assez des arbres, je m'imaginerai que je descends, doucement, parmi ces fougères, et puis je m'envolerai jusqu'au jardin de Mme Lynde, et j'y ferai danser les fleurs, et là, d'un seul coup, je balayerai le champ de trèfle. Puis je soufflerai sur le Lac-aux-Miroirs et je le ferai onduler pour qu'il forme de petites vagues brillantes. Oh, comme le vent permet à l'imagination de vagabonder!» Où qu'elle aille dans l'Île, Maud trouvait elle aussi le moyen de laisser vagabonder son imagination.

Maud, ses jeunes cousins et cousines et ses camarades de classe «vivaient pratiquement dans les bois». Ils roulaient leur instituteur afin de sortir de la classe en douce, de se réfugier dans «le bois de l'école», de bavarder un moment et de mâcher la résine qu'ils détachaient des épinettes. Maud adorait se cacher avec ses amis au cœur des zones d'ombre et de lumière de la forêt, où elle entendait le ruisseau qui coulait un peu plus bas et le vent qui faisait bruisser les feuilles au-dessus de sa tête.

Pour Maud, chaque arbre des vergers des Macneill possédait sa propre personnalité. Et elle avait donné un nom à chacun: le Petit Arbre à sirop, l'Arbre aux boutons, l'Arbre araignée, et ainsi de suite. La Dame blanche était un jeune bouleau magnifique, et Maud était persuadée que ses voisins, un bosquet de sombres épinettes, étaient follement amoureux d'elle. Maud caressait les arbres, appuyait son visage contre leurs troncs et se demandait parfois si elle n'avait pas été un arbre dans une vie antérieure.

Lorsqu'elle avait douze ans, elle reçut un géranium qu'elle baptisa «Bonny». Ses chats exceptés, elle préférait ce géranium à toutes ses autres possessions, et elle était persuadée que Bonny avait une âme, comme tous les arbres et toutes les fleurs, d'ailleurs. Au paradis, elle s'attendait à retrouver les fleurs et les branches qu'elle avait aimées dans son enfance. En attendant, afin d'éviter les querelles, elle ne mettait jamais plus de deux variétés de fleurs dans le même vase.

Maud croyait que même un coin de paysage pouvait avoir une âme, en particulier le Chemin des amoureux. Elle n'avait pas encore dix ans lorsqu'elle découvrit ce sentier, qu'elle transporterait un jour dans *Anne... La Maison aux pignons verts*. «J'aime ce sentier, dit Anne, parce qu'on peut y réfléchir à voix haute sans que personne vous traite de folle.»

Bordé de fleurs sauvages, de bouleaux argentés et de sapins, le Chemin des amoureux, après avoir traversé à deux reprises un ruisseau sombre et gazouillant, conduisait à la maison de David et Margaret Macneill, des cousins âgés de Maud. David l'empruntait surtout pour conduire ses vaches dans un pré, mais, pour Maud, ce sentier devint le plus important de sa vie: un refuge lorsque des tempêtes hurlaient dans sa tête, un lieu sacré où elle trouvait la paix que d'autres vont chercher dans les églises. Jeune femme, Maud connaissait des sautes d'humeur violentes; un jour, elle était au paradis, le lendemain, en enfer. Pourtant, le Chemin des amoureux accomplissait chaque fois le même miracle: Maud y arrivait malheureuse, elle en ressortait apaisée. Extérieurement, Maud était chrétienne, mais ce qu'elle vénérait d'abord et avant tout, c'était Mère Nature.

▼

Maud ne se lassait jamais du rivage où venaient se briser les vagues, avec ses dunes mouvantes, ses falaises de grès rouge et ses sablonnières bien découpées. L'été, son grand-père Macneill, aidé d'un équipage de Canadiens français nés dans l'Île, était debout avant l'aube pour aller pêcher le maquereau. Maud était chargée d'apporter aux hommes leur déjeuner, leur dîner et parfois même leur souper. Si la pêche était bonne, elle devait parfois attendre des heures avant que les hommes reviennent à terre, et elle connut bientôt tous les rochers, toutes les anses et tous les caps du coin. Sa chevelure couleur de bronze se balançant dans l'eau, elle pataugeait dans des hauts-fonds tièdes, mordillait des algues, ramassait des cailloux et des coquillages. Les gros coquillages ourlés servaient à délimiter les plates-bandes; quant aux petites coquilles bien dures des bigorneaux, leur beauté valait bien celle des bijoux.

Maud avait huit ans lorsque le golfe du Saint-Laurent offrit à Cavendish une aventure ahurissante. Le 25 juillet 1883, tout près des côtes, des vents violents s'abattirent sur le *Marco Polo*.

Ce trois-mâts, qui avait déjà été le clipper le plus rapide du monde, avait alors trente-deux ans et il tombait en pièces. Ce jour-là, toutes voiles dehors, il fonçait vers Cavendish avec sa cargaison de bois de charpente. Il avait commencé à faire eau, et le capitaine jugeait que le seul espoir – pour lui, pour son équipage et pour leur cargaison – était d'aller s'échouer sur l'Île.

Les habitants de Cavendish se rassemblèrent sur la plage, le visage fouetté par un vent du nord déchaîné, pour voir un spectacle qu'ils n'avaient jamais vu auparavant et qu'ils ne verraient plus jamais: un énorme vaisseau qui, venu de l'horizon, se précipitait vers eux toutes voiles dehors. Il s'approchait de plus en plus, porté par des vagues monstrueuses. Puis, à trois cents verges de la plage, il heurta violemment le fond de sable et stoppa en dérapant. Maud et les autres enfants de Cavendish étaient à l'école, qui restait ouverte tout l'été, à cette époque. Malgré les hurlements du vent, ils perçurent un fracas lointain. L'équipage du navire ayant sectionné les gréements, les immenses mâts étaient tombés dans la mer, avec un bruit que les enfants entendirent de l'école, pourtant située à un mille à l'intérieur des terres.

Le capitaine et ses vingt hommes d'équipage purent tous se rendre à terre. En attendant l'argent de la compagnie d'assurance, ils logèrent dans des maisons de Cavendish. Lorsqu'ils s'ennuyaient trop, ils s'entassaient dans un chariot tiré par un cheval et, hurlant dans différentes langues, ils dévalaient à toute vitesse les routes de la campagne endormie. Ces marins venaient d'Irlande, d'Écosse, d'Angleterre, d'Espagne, de Hollande, d'Allemagne, de Scandinavie et de Tahiti. Pendant des semaines, leurs faits et gestes tinrent Cavendish en haleine, distrayant à ce point les grands-parents de Maud qu'ils en oubliaient d'être toujours sur son dos. Aussi Maud garda-t-elle un excellent souvenir de cet été-là.

Elle eut souvent l'occasion de voir les membres de l'équipage, car ceux-ci aimaient beaucoup leur capitaine, qui logeait chez les Macneill. Le capitaine Bull était un Norvégien massif qui, malgré ses difficultés avec la langue anglaise, traitait Maud comme une dame. Il disait par exemple, en la saluant bien bas: «Merci pour votre gentillesse contre moi, petite Mademoiselle Maud.» Lorsque l'indemnité d'assurance finit par arriver, l'équipage se réunit chez les Macneill, et, pendant que le capitaine Bull comptait les pièces d'or sur la table du petit salon, les hommes s'assirent dehors dans l'herbe, s'amusant à lancer des biscuits à Gyp, le chien de la maison.

Après avoir reçu leur argent, les hommes du *Marco Polo* disparurent. À la fin de l'été, la mer avait battu l'épave jusqu'à ce qu'elle disparaisse elle aussi. Dès lors, l'été du *Marco Polo* ne fut plus qu'une des nombreuses légendes liées à la côte de Cavendish. Maud les connaissait toutes. Son grand-père Macneill les lui avait racontées, pendant ses moments de gentillesse, et il savait raconter des histoires.

Maud aimait particulièrement celle des quatre frères américains qui s'étaient noyés au large de l'Île après que leur navire se fut échoué. Les hommes de Cavendish, et parmi eux le grand-père Macneill, avaient enterré les quatre frères au cimetière du village, mais leur père, le cœur brisé, était venu du Maine pour ramener ses fils chez eux. Après avoir mis les corps sur un navire marchand, le *Seth Hall*, il retourna dans le Maine à bord d'un bateau de voyageurs. Pendant ce temps, les habitants de Cavendish avertirent le capitaine du *Seth Hall* qu'il ferait mieux d'attendre une marée plus propice avant de prendre la mer. Le capitaine, cependant, jura de partir la nuit même, même s'il devait ainsi s'embarquer pour l'enfer, précisant que Dieu lui-même ne pourrait pas l'arrêter. Il partit donc, et le navire périt en mer, emportant avec lui le capitaine, l'équipage... et le chargement de cadavres.

Une autre des histoires qui circulaient au sujet des côtes mettait en scène un certain capitaine Leforce, un corsaire français qui avait jeté l'ancre devant ce qui, par la suite, deviendrait Cavendish. L'équipage campa une nuit sur un promontoire. Cette nuit-là, le capitaine et son second se querel-lèrent si violemment sur la façon de partager le butin qu'ils décidèrent de régler la question par un duel au pistolet, à l'aube. Au lever du soleil, pendant que le capitaine s'éloignait pour prendre sa position, le second lui tira dans le dos. Maud ignorait quel sort avait été réservé au meurtrier, mais elle savait que l'équipage avait enterré le capitaine là où il avait été tué. Son propre arrière-grand-père, «Old Speaker» Macneill, avait vu sa tombe quand il était enfant. Les grandes marées avaient fini par détruire cette tombe, mais le nom du capitaine avait survécu, et le promontoire s'appelait le cap Leforce.

Les légendes de la côte se retrouveraient un jour dans les écrits de Maud.

6

Travail, épargne, prière...
et bonnes manières

Chaque hiver, le royaume de Maud – son royaume d'arbres, de légendes et de rêves – se trouvait isolé du reste du monde pendant un certain temps. Entre l'île du Prince-Édouard et la terre ferme se trouve le détroit de Northumberland. Pendant l'hiver, de la Révolution américaine à la Première Guerre mondiale, des équipes de facteurs tirèrent et poussèrent de petits bateaux dangereusement chargés à travers les périls que constituaient la glace, la neige fondante et l'eau glaciale et paralysante qui les séparait de la rive lointaine. Certains y laissèrent des doigts et des pieds, d'autres y laissèrent leur vie.

Des bateaux à vapeur, bravant les obstacles, faisaient aussi la navette à travers le détroit lorsque Maud était enfant, mais il arrivait trop souvent que des champs de glace les emprisonnent, les entraînent au large ou les retiennent au port. À une époque où n'existaient pas encore la radio, la télévision, la poste aérienne et le téléphone, c'est l'hiver que les insulaires ressentaient le plus durement leur isolement. Plus que toute autre saison, l'hiver leur rappelait qu'ils vivaient aux confins d'un immense continent et qu'ils seraient toujours parmi les derniers à savoir ce qui se passait dans le monde civilisé.

Pendant la jeunesse de Maud, les ascenseurs, les fermetures éclair, les ballons de basket, les ampoules électriques, les appareils photo de poche, le Coca-Cola, les pizzas et les tablettes de chocolat firent leur apparition à New York, Boston, Chicago, Londres et Paris. Cependant, comme Maud vivait dans une île peuplée de fermiers, et non dans une ville, elle ne connut aucun de ces miracles. D'autres n'existaient pas encore: Maud ne mangea jamais de hot dogs ni de beurre d'arachide. Elle verrait, de son vivant, des films inspirés de *Anne... La Maison aux pignons verts*, mais, dans son enfance, les films parlants étaient si éloignés dans le temps qu'aucun habitant de l'Île n'aurait même pu imaginer une chose pareille.

Enfant, puis jeune fille et jeune femme, Maud vivait dans un monde sans électricité. Elle eut donc à supporter une vie domestique qui, selon les critères actuels, paraît sombre et remplie de tâches fastidieuses. Il est donc particulièrement étonnant que, malgré l'horaire épuisant des corvées auxquelles elle devait s'astreindre, elle ait toujours réussi à se ménager suffisamment de temps pour écrire.

Sans lumière électrique, les gens lisaient le soir à la chandelle, à la faible flamme d'une lampe à pétrole ou, s'il s'agissait de citadins, à la lueur d'une lanterne au gaz. Certains fabriquaient leurs propres chandelles. Les réservoirs des lampes à pétrole devaient être remplis régulièrement, les mèches coupées, et l'intérieur de la lampe en verre devait être nettoyé au moyen de papier froissé. Quand Maud était enfant, le simple fait de garder des pièces éclairées nécessitait de la réflexion et du travail. En fait, c'était si exigeant que beaucoup de paysans vivaient principalement pendant qu'il faisait clair. La tombée du jour marquait l'heure du coucher; l'aube les voyait se remettre au travail.

Garder les poêles ou les foyers allumés constituait un autre défi quotidien. Pour y arriver, il fallait pelleter du charbon ou couper du bois, alimenter et tisonner régulièrement les flammes, enlever les cendres et ramoner les cheminées. Puisque le foyer de la cuisine était souvent la principale source de chaleur de la maison, la cuisine était la pièce la plus chaude. Chez les Macneill, comme chez des milliers d'autres insulaires, les chambres à coucher de l'étage supérieur avaient parfois des allures de glacières.

Sans cuisinières électriques ni fours à micro-ondes, les femmes, à l'époque où Maud était enfant, devaient peiner pour cuisiner et faire du pain ou des gâteaux avec un poêle à bois. Sans eau courante, ni laveuses et sécheuses automatiques, le lavage hebdomadaire d'une famille normale exigeait au moins une journée entière de travail.

Sans aspirateurs ni lave-vaisselle automatique, les jeunes filles et les femmes n'en avaient jamais fini avec les balais, les vadrouilles, les serviettes, les brosses à récurer, les battoirs à tapis et les plumeaux. Ces tâches étaient la responsabilité exclusive des femmes, et Maud ne pouvait y échapper. Lorsqu'elle vivait encore à Cavendish, la jeune femme écrivit à un ami: «Depuis quatre jours, je n'ai pas cessé de frotter, de laver et de fouiller dans tous les coins, et j'ai l'impression que toute la saleté que j'ai soulevée, balayée et nettoyée s'est logée dans mon âme à jamais, rendant celle-ci désespérément noire, crasseuse et malsaine.»

▼

Les habitants de Cavendish possédaient une incroyable capacité de travail. Sept jours sur sept, les familles se levaient avant l'aube. Les hommes nourrissaient le bétail et trayaient les vaches avant de se remplir la panse des déjeuners préparés par leurs femmes: bouillie de flocons d'avoine agrémentée de crème et de sucre, œufs frais, jambon fumé et pain fait à la maison. Les fermiers, qui ne disposaient pas de machinerie motorisée, peinaient souvent seize heures par jour, aidés uniquement par des chevaux. La communauté tout entière reposait sur les chevaux. Ceux-ci tiraient des troncs d'arbres, des charrues, des corbillards, des chariots de livraison, des pompes à incendie et toutes sortes de véhicules. Dans sa jeunesse, Maud n'avait jamais vu d'automobile.

Elle était entourée de gens qui valorisaient le travail et non les rêveries sentimentales. Les gens qui n'abattaient pas beaucoup de travail physique ne valaient pas grand-chose. Un historien de l'Île-du-Prince-Édouard fit le portrait de «héros du travail» rappelant les héros du sport contemporains. Un homme pouvait être le meilleur à manier la hache, un autre le plus habile à diriger les chevaux, un autre encore le plus rapide à rentrer ses récoltes. Chez les femmes, l'une pouvait être la plus douée pour recevoir le pasteur à souper, une autre excellait à faire des marinades à la moutarde, une autre encore crochetait le plus grand nombre de couvertures pendant l'hiver. La grand-mère Macneill, par exemple, était reconnue pour ses délicieux fromages.

Aussi économes que travailleurs, bon nombre des habitants de Cavendish n'auraient même jamais gaspillé une épluchure de pomme de terre. Les vieilles femmes pouvaient retracer les différentes étapes d'un bout de tissu sur plus de soixante ans. Un ancien habitant de l'Île se souvenait de gens qui étaient également avares de paroles. Peut-être croyaient-ils, suivant en cela la Bible, qu'«au jour du jugement, les hommes rendront compte de toute parole vaine qu'ils auront proférée». Mais, quelle qu'en soit la raison, cet ex-insulaire disait que «toute exubérance de langage était sévèrement réprimée». Pour Maud, pour qui l'exubérance du langage était une seconde nature, ce contrôle très strict de la langue parlée était étouffant.

Chez les Macneill, la fillette était ridiculisée lorsqu'elle utilisait ces grands mots qu'elle avait tant de bonheur à inventer: examinationner, le gèlement, terriblifique, famosité... «Eh bien, de toute façon, dit Anne à Marilla, quand je serai plus vieille je ne me moquerai pas [des petites filles] quand elles utiliseront de grands mots.»

▼

Presque tous les habitants de l'Île étaient des chrétiens de race blanche, d'origine écossaise, irlandaise ou anglaise. Plus du tiers des insulaires étaient catholiques. Les frictions entre catholiques et protestants faisaient partie des aspects les plus désagréables de la vie de l'Île, comme un peu partout dans le monde, mais ici, même les différents groupes protestants nourrissaient du mépris et des soupçons les uns envers les autres.

Bien que Maud fût presbytérienne, il lui arrivait de fréquenter des églises méthodistes et baptistes. L'important, pour tout insulaire respectable, c'était d'assister au service du dimanche. La foi chrétienne était fortement enracinée dans l'Île, et les rares personnes qui la rejetaient étaient vues au mieux comme des excentriques, au pire comme des âmes damnées, et, d'une certaine façon, pas entièrement saines d'esprit.

L'église n'était pas seulement un lieu de culte mais aussi un endroit où l'on rencontrait des amis, où l'on pouvait voir et être vu, et où l'on participait à des activités destinées à recueillir des fonds pour des bonnes œuvres, chez soi et à l'étranger. Les forces et les faiblesses du pasteur, ses bizarreries, sa situation matrimoniale et ses talents de prédicateur étaient des éléments essentiels des potins du village. L'épouse du pasteur n'échappait pas non plus à l'œil scrutateur des commères. Les femmes de la congrégation commentaient ses antécédents familiaux, son habillement, ses talents de ménagère et de cuisinière, ainsi que sa façon d'assumer ses devoirs d'épouse de pasteur.

Tous les dimanches matins, Maud et ses grands-parents se rendaient à l'église presbytérienne de Cavendish. Pendant la semaine, ils assistaient également à des réunions de prières au cours desquelles ils chantaient des hymnes religieux et écoutaient des lectures tirées de la Bible. Assise dans le banc réservé aux Macneill, Maud arrivait à échapper à l'ennui en observant, par une fenêtre, une colline verte, un étang bleu, des dunes le long du rivage et, au-delà de tout cela, le golfe du Saint-Laurent.

La foi presbytérienne est une foi sévère, selon laquelle Dieu a déjà choisi les élus, qui iront au paradis, et les damnés, qui brûleront en enfer. Rien de ce que peut faire un individu ne changera quoi que ce soit à ce que Dieu lui réserve depuis toujours. Plus tard, Maud jugera cruel de présenter ce Dieu sévère à de jeunes esprits, mais, lorsqu'elle était enfant, ce n'était pas tant l'église qui provoquait chez elle des accès de terreur religieuse que son imagination fertile et les accusations de sa grand-mère Macneill la traitant de «méchante fille».

Maud comprenait à peine les austères sermons du dimanche matin.

Elle préférait l'école du dimanche. «Quelques-uns de mes meilleurs souvenirs, disait-elle, sont liés aux heures passées dans cette vieille église, où mes petits camarades et moi tenions, dans nos mains cachées par des gants de coton, nos bibles et nos feuilles de leçons.» L'école du dimanche avait toutefois ses mauvais côtés. Comme professeurs, Maud eut à subir «une succession de trois vieilles filles» qui ne firent rien pour l'inciter à aimer le christianisme ni pour comprendre les enseignements du Christ. Maud, qui les trouvait ennuyeuses, anti-romantiques et laides, en conçut l'idée que la religion et la beauté étaient en quelque sorte des ennemies.

Malgré l'ennui et l'aigreur que dégageaient les centaines de dimanches matins que Maud passa à l'église presbytérienne de Cavendish, elle ne perdit jamais son sens de la spiritualité. Elle se contenta de le détourner vers une religion de son cru, une foi très éloignée de la foi presbytérienne.

Un dimanche matin idéal, décida-t-elle une fois devenue adulte, elle n'irait pas à l'église, mais «au cœur d'un grand bois solennel, où je m'assoirais parmi les fougères, avec pour seuls compagnons les arbres et les vents de la forêt dont l'écho se ferait entendre à travers les allées sombres et moussues, tels les accents d'un motet résonnant dans une vaste cathédrale. Je resterais là durant des heures, en communion avec la nature et avec mon âme.» Si elle agissait ainsi, pourtant, «les vieilles filles du village en mourraient d'horreur».

▼

Quand Maud était enfant, Cavendish était un milieu très fermé, où régnaient potins et cancans. La population ne comptait guère plus de deux cents personnes, et, comme il n'y avait ni radio, ni télévision, ni disques, ni cinéma, la principale distraction consistait à échanger des visites entre parents et amis et à parler des voisins. Comme le dirait Maud par la suite, les mariages entre Macneill, Simpson et Clark avaient été «si nombreux et si mêlés qu'il fallait être né à Cavendish et y avoir grandi pour savoir qui on pouvait se permettre de critiquer».

En grandissant, Maud soupçonna que quelques-uns de leurs voisins jugeaient qu'ils pouvaient se permettre de la critiquer, elle. Bien qu'elle éprouvât un amour sincère pour Cavendish, ses grands-parents ne l'aidèrent jamais à s'y sentir vraiment chez elle. Le samedi soir, les parents des autres jeunes organisaient à tour de rôle des soirées où ils offraient de quoi manger et s'amuser à la jeunesse du village, mais les Macneill interdisaient à Maud de participer à la plupart de ces soirées. Suivant leurs désirs, Maud apprit à jouer de l'orgue, ce qui, dans la majorité des foyers, était à l'origine de nombreux divertissements, mais Maud n'en tira jamais aucun plaisir.

Quelles que soient les activités sociales – piques-niques, réunions de prières, concerts scolaires ou conférences –, les participants étaient toujours les mêmes. Il était impossible, à Cavendish, d'éviter les visages familiers ou de rester longtemps caché. On attendait de Maud qu'elle se conduise comme les autres filles de Cavendish, et certains villageois ont pu juger bizarre cette enfant trop maigre, orpheline de mère, qui lisait trop de livres, passait trop de temps à rêver et dont le caractère était un peu trop vif. Tout comme Anne, Maud se promenait en solitaire, parlait aux fleurs et étreignait les arbres. «Tout ce que je veux, c'et que vous vous comportiez comme les autres petites filles et que vous ne vous couvriez pas de ridicule», dit Marilla à Anne.

Bien que petit, isolé et fermé sur lui-même, le village de Cavendish n'ignorait pas ce qui se passait de par le vaste monde. L'Île-du-Prince-Édouard vendait de l'avoine à la Grande-Bretagne et des légumes à la Nouvelle-Angleterre; les navires apportaient sans cesse des nouvelles fraîches dans les ports de l'Île. Des milliers d'insulaires qui, comme le père de Maud, étaient partis chercher du travail dans l'Ouest envoyaient eux aussi des nouvelles de lieux lointains et, l'été, rapportaient des histoires originant de partout en Amérique du Nord.

Les habitants de l'Île-du-Prince-Édouard étaient loin d'être des rustres. Quarante-deux mille d'entre eux étaient d'origine écossaise, et les Écossais du Canada étaient réputés pour leur détermination à fournir une solide instruction à leurs enfants. Parmi les distractions qu'offrait Cavendish, la lecture venait au deuxième rang, tout de suite après les visites qu'on se rendait entre parents et voisins. Les gens faisaient venir leurs livres de Grande-Bretagne et des États-Unis, se les échangeaient et s'abonnaient à différents journaux et magazines. Le grand-père Macneill était responsable du bureau de poste de Cavendish, situé dans l'une des pièces avant de la maison, aussi Maud voyait-elle régulièrement passer un bon nombre de magazines.

Sa grand-mère recevait le *Godey's Lady's Book*, une revue mensuelle remplie de dessins de mode où les femmes portaient des tournures, des robes dont l'ourlet frôlait le sol, des jupes extérieures gonflantes et des chapeaux raffinés. Maud passait des heures à examiner ces dessins tout en rêvant de porter de tels vêtements un jour. Elle dévorait aussi un autre magazine, *Wide Awake*, qui présentait de belles histoires pour enfants, accompagnées d'illustrations de qualité.

Au cours des concerts scolaires et des réunions de la Société littéraire de Cavendish, les enfants récitaient des drames en vers devant les adultes. Maud avait quatorze ans lorsqu'elle parut ainsi en public pour la première fois. Elle était morte de trac et tremblait de la tête aux pieds. Tout en récitant un poème intitulé «L'Enfant martyr», elle avait l'étrange impression que la voix qu'elle entendait n'était pas la sienne et qu'elle-même avait gonflé au point de remplir la salle tout entière.

Elle livra une prestation brillante, malgré sa nervosité, et reçut avec bonheur les compliments de son institutrice. En décrivant cette soirée dans son journal intime, cependant, elle ne mentionna pas ses grands-parents, ce qui laisse supposer que ceux-ci n'assistèrent pas à son premier triomphe en public. Rappelons-nous ce que Marilla dit à Anne: «Je n'approuve pas du tout que les enfants organisent des concerts [...]. Voilà de quoi les rendre vaniteux, effrontés, traînards.»

Maud avait onze ans lorsque la Société littéraire de Cavendish vit le jour. Bien qu'il se passât des années avant que ses grands-parents permettent à Maud d'en joindre les rangs, cette institution devint aussitôt très importante pour elle. Les Macneill ne possédaient que peu de livres, mais la Société constitua une bibliothèque intéressante, qu'elle enrichit régulièrement de livres à succès. Pour Maud, c'était un véritable don du ciel. La Société faisait aussi venir des conférenciers et organisait des débats sur des sujets tels que le vote des femmes et la peine capitale.

Maud considérait que la Société littéraire avait eu, pour elle comme pour d'autres jeunes de Cavendish, une influence prépondérante sur son développement social et intellectuel. Elle avait aussi une autre raison d'en apprécier les réunions: elles lui fournissaient l'occasion de faire enrager Arthur Simpson, l'un des membres fondateurs de la Société, et le seul homme que Maud, à quinze ans, détestait de toutes ses forces. Lui, en revanche, n'aimait ni Maud ni la musique. Aussi la jeune fille avait-elle beaucoup de plaisir à le rendre furieux en jouant de l'orgue pendant les réunions de la Société.

En dépit de la curiosité et des soupçons de ses habitants, Cavendish était un village stimulant. Les gens s'intéressaient aux autres et les classaient selon leurs talents d'orateurs et de conteurs, selon leur habileté à les divertir en maniant les mots. C'était donc là un milieu propice pour la croissance d'un écrivain.

7

Des débuts timides

Maud savait lire bien avant son premier jour d'école. Lire lui semblait aussi naturel que manger ou respirer. Elle pouvait absorber la même histoire des dizaines de fois sans se lasser. Les Macneill avaient beau lui reprocher de lire trop, elle s'évadait grâce à la poésie, aux contes de fées, aux histoires de fantômes, aux romans d'amour, aux récits d'aventures et même aux sermons.

Elle lisait et relisait aussi une histoire du monde à l'intention des enfants. Orné d'images aux couleurs criardes, le texte commençait avec le Paradis terrestre, continuait avec «la gloire de la Grèce et la grandeur de Rome» et se terminait avec le règne de la reine Victoria, à l'époque même où vivait Maud. La fillette adorait «Le Vilain Petit Canard», «Les Habits neufs de l'empereur», «Les Chaussons rouges» et les autres contes de Hans Christian Andersen. Les numéros de *Godey's Lady's Book* appartenant à sa grand-mère comprenaient des pages littéraires, «que je dévorais avec passion, sanglotant avec un désespoir exquis sur les malheurs des héroïnes, qui étaient toutes fabuleusement belles et bonnes». Dans la fiction de son époque, Maud aimait que les bons soient manifestement bons, et les méchants, manifestement méchants.

L'un des premiers livres à avoir éveillé sa curiosité avait appartenu à sa mère. À Cavendish, tout bon chrétien devait s'abstenir du moindre plaisir le dimanche. Un livre de Maud s'ouvrait sur une image montrant le sort réservé à un garçon qui, le jour du Seigneur, avait osé monter dans un arbre pour y manger des cerises. Il était tombé et gisait sous l'arbre, le cou brisé.

Maud avait le droit de lire un livre comme celui-là, même le dimanche. *Les Mémoires d'Anzonetta Peters* était un autre livre permis. Anzonetta avait cinq ans lorsqu'elle devint chrétienne. Elle tomba ensuite malade et, malgré des douleurs atroces, se comporta comme une sainte jusqu'à sa mort, à l'âge de douze ans. Elle énonçait, d'une toute petite voix, des paroles qui semblaient sorties de la Bible. Si on lui demandait comment elle allait, elle citait un verset de la Bible ou un bout d'hymne. Maud, qui avait bien dû lire ce livre une centaine de fois, disait: «Anzonetta était si désespérément parfaite que je sentais qu'il était inutile d'essayer de l'imiter. J'essayai pourtant.» Elle évita cependant de parsemer ses propos de citations bibliques et de vers tirés des hymnes; elle savait que cela n'aurait pu que lui attirer des rires moqueurs.

Les Macneill désapprouvaient la plupart des romans, mais, à l'adolescence, Maud en lut des douzaines en cachette, dont elle mémorisait des chapitres entiers. Son auteur préféré était Lord Bulwer-Lytton. Dans un style particulièrement fleuri, celui-ci avait écrit des romans à suspense, de la science-fiction, d'interminables romans historiques (*Les Derniers Jours de Pompéi*) et nombre d'histoires tristes et effrayantes que Maud adorait. Elle aimait par-dessus tout le conte surnaturel intitulé *Zanoni*. Pendant des années, le héros mystique de cette histoire allait représenter, pour Maud, le héros romantique idéal.

Sauf le dimanche, Maud avait le droit de lire toute la poésie qu'elle voulait. Aussi dévorait-elle les œuvres de Longfellow, de Tennyson, de Byron, de Milton et, surtout, de Robert Burns. Elle était encore à l'école primaire lorsqu'elle apprit par cœur la totalité de *La Dame du lac*, de Sir Walter Scott, un poème qui compte des milliers de vers et qui raconte l'histoire d'une jeune fille d'une grande beauté, fille d'un seigneur hors la loi, qui finit par épouser l'homme qu'elle aime. Ce poème contient l'une des élégies funèbres les plus remarquables de toute la littérature. En la lisant pour la première fois, Maud fondit en larmes. Pour elle, les gens qui peuplaient les livres étaient aussi réels que ceux qu'elle pouvait voir dans la cuisine.

▼

Maud était différente. Très jeune, elle savait déjà qu'il fallait qu'elle devienne écrivain. Tout en jouant avec ses poupées ou en s'amusant avec Dave et Well dans leur maison parmi les branches, elle inventait déjà des histoires et des poèmes. En classe, tout en faisant semblant de résoudre des problèmes d'arithmétique, elle griffonnait des poèmes ironiques sur ses professeurs. Elle écrivait les biographies de ses chats, rédigeait des critiques de livres, composait des odes à ses lieux favoris, rapportait les événements de la vie de l'école, faisait le compte rendu de ses rares visites dans des foyers étrangers.

À neuf ans, Maud écrivit son premier poème, qu'elle intitula «L'Automne». Lorsqu'elle le lut à son père, de retour de l'Ouest le temps d'une visite, celui-ci dit que cela ne ressemblait guère à de la poésie. «Ce sont des vers blancs», se défendit sa fille, précisant par là que les vers n'étaient pas censés rimer. «Très blancs», rétorqua son père avec mépris. Maud eut ainsi la preuve qu'elle ne pouvait pas toujours compter sur lui pour lui répondre adéquatement. La remarque de son père abattit Maud, mais pas pour longtemps. N'utilisant désormais que des vers qui rimaient, elle écrivit des poèmes au sujet des étoiles, des couchers de soleil, des feuilles et des pétales.

Elle écrivait aussi des histoires. Celles-ci mettaient en scène de belles héroïnes vêtues de satin, de velours et de dentelles et portant des tonnes de bijoux. Elles mouraient toutes, le cœur brisé ou aux mains de meurtriers. Dans la vraie vie, Maud n'aimait pas du tout accrocher des vers aux hameçons, elle refusait d'écraser les mouches et pleurait chaque fois qu'un valet de ferme noyait des chatons non désirés. Dans la vie imaginaire de ses histoires, cependant, elle adorait les meurtres et les batailles sanglantes. Histoire après histoire, presque tous ses personnages mouraient.

Son «chef-d'œuvre», comme elle aimait à dire en plaisantant, s'intitulait «Mes tombes». C'était l'histoire de l'épouse d'un prédicateur dont les nombreux enfants mouraient les uns après les autres pendant que la famille traversait l'Amérique du Nord. Elle enterrait l'aîné à Terre-Neuve, du côté de l'océan Atlantique, et le plus jeune en Colombie-Britannique, près du Pacifique, et éparpillait les autres d'un bout à l'autre du Canada. Maud écrivit cette histoire morbide comme si elle était elle-même la mère éplorée et décrivit chaque petite couche mortuaire et chaque pierre tombale.

Outre ces histoires et ces poèmes, Maud tenait son journal intime. Un instituteur qui prenait pension chez les Macneill possédait un livre amusant intitulé *A Bad Boy's Diry* (*Les mauvais cous d'un petit garneman*). Avec des mots orthographiés de façon on ne peut plus fantaisiste, le petit garnement faisait le récit de ses mauvais coups. Maud lut et relut ce livre avant d'inaugurer son *Maud Montgomery's Diry* (*Les mauvais cous de Maud Montgomery*). Elle tenta d'abord de rivaliser d'esprit et de malice avec le jeune garçon, mais devint rapidement plus sérieuse, décrivant le temps qu'il faisait et relatant ce qui arrivait à elle et aux gens qu'elle connaissait.

Maud n'avait que neuf ans lorsqu'elle commença à tenir son journal, mais cette habitude lui dura toute sa vie. Elle tint son journal pendant tout près de soixante ans et le remplit de millions de mots. Son journal était son allié le plus fidèle au cours des bonnes et des mauvaises périodes de sa vie, et elle écrivait souvent à celui-ci comme s'il s'était agi d'une personne.

Enfant, Maud considérait la rédaction de son journal comme une obligation quotidienne, au même titre que se laver le visage ou réciter ses prières. Ses grands-parents connaissaient les autres obligations, bien sûr, mais Maud cachait tout ce qu'elle écrivait. Elle était horrifiée à l'idée que des adultes puissent se moquer de ses poèmes ou de ses pensées les plus intimes couchées sur le papier. Elle cachait ses écrits dans deux trous situés au-dessus de planches clouées sous un canapé. En vieillissant, elle décida que ses premiers écrits étaient enfantins. Elle les retira de leur cachette en secret, les détruisit et les remplaça par de meilleurs textes. À quatorze ans, elle brûla le journal qu'elle tenait depuis cinq ans.

▼

Personne, à l'exception de Maud elle-même, n'aurait pu soupçonner que, chez cette fillette menue, couvait une ambition dévorante. Un jour, elle leur montrerait à tous. Elle n'avait pas encore douze ans lorsqu'elle découpa, dans le *Godey's Lady's Book*, un poème qu'elle colla sur la chemise de carton qu'elle utilisait pour écrire des lettres et pour faire ses devoirs. Dans ses moments de mélancolie, elle se récitait ces vers tout bas. Le poème s'intitulait «La Gentiane frangée», et la partie qui importait le plus à Maud était la suivante:

Chuchote-moi, ô fleur, au cœur de ton sommeil
La façon de grimper plus haut, toujours plus haut
Sur le sentier des Alpes, abrupt et rude,
Menant aux sommets sublimes.
La façon d'atteindre ce but ultime
D'une gloire pure et méritée
Et d'inscrire en lettres dorées
Un humble nom de femme.

«Dès mon enfance, expliquait-elle en 1906, ma seule et unique ambition était d'écrire. Je n'ai jamais désiré autre chose.» Pour écrire, cependant, il lui fallait du papier, et la maison des Macneill n'en avait guère à offrir à une enfant. Son grand-père, toutefois, en tant que maître de poste, jetait des «listes de lettres» usagées trois fois par semaine. Il s'agissait de longs formulaires postaux de couleur rouge, imprimés d'un seul côté. Maud les retournait afin de gribouiller au verso qui, lui, était vierge. Elle écrivait également dans des petits carnets jaunes qu'une compagnie pharmaceutique envoyait comme gadget promotionnel.

Trois ans après la réaction plutôt froide de son père à son poème «L'Automne», Maud, alors âgée de douze ans, avait de nouveau envie de savoir ce qu'un adulte pensait de son talent, mais elle craignait toujours le ridicule. Elle imagina donc un stratagème pour obtenir l'opinion d'Izzie Robinson, son institutrice, qui logeait chez les Macneill. L'habitude qu'avait Mlle Robinson d'humilier Maud en classe n'empêcha pas celle-ci de lui confier le rôle de critique littéraire.

Mlle Robinson aimait chanter; aussi, un soir, Maud lui demanda-t-elle, un peu nerveusement, si elle connaissait la chanson «Rêves du soir». Ce titre ne disait rien à l'institutrice, qui demanda néanmoins à Maud de lui en réciter les paroles. D'une toute petite voix, Maud récita une portion de son poème le plus réussi :

> Quand tombe le soir et que le soleil, doucement,
> Sombre du côté de l'occident
> Dans la splendeur irisée du couchant
> Je glisse, apaisée, au cœur de l'enchantement.
>
> J'oublie le présent, l'avenir
> Et laisse le passé revenir
> Ces jours merveilleux de jadis
> Qui m'émeuvent et me ravissent.

Maud, tremblante et le souffle court, attendit le verdict de Mlle Robinson, qui était en train de coudre et qui ne remarqua pas son émoi. Non, l'institutrice ne connaissait pas cette chanson, mais, dit-elle, «les paroles sont très jolies». Sans le savoir, l'affreuse Izzie Robinson venait de faire à cette enfant qu'elle détestait et qu'elle prenait plaisir à tourmenter le plus beau compliment qu'eût jamais reçu celle-ci.

Maud courut à l'extérieur. Là, telle une des créatures féeriques qu'elle se plaisait à imaginer, elle se mit à danser toute seule au milieu des bouleaux argentés, pendant que, dans sa tête, résonnait le merveilleux commentaire. *Les paroles sont très jolies.*

Elle était écrivain.

Armée d'un courage tout neuf, elle dénicha une feuille propre, couvrit les deux côtés de la feuille avec son poème «Rêves du soir» et envoya le tout au magazine américain *The Household*. Elle n'en parla à personne à Cavendish. Le fait de vivre sur les lieux mêmes du bureau de poste signifiait qu'elle pouvait envoyer des textes à des éditeurs, et recevoir leurs réponses, à l'insu de tout le monde. Maud ignorait cependant que les écrivains professionnels n'utilisaient qu'un côté des feuilles et qu'ils incluaient un timbre dans leur envoi s'ils désiraient que l'éditeur leur retourne les manuscrits refusés. Maud n'attendait pas d'argent pour «Rêves du soir»; elle voulait seulement voir son poème imprimé, avec son nom indiqué juste au-dessus.

The Household lui renvoya son poème. À douze ans, Maud venait de subir le premier des centaines de refus qu'elle devait connaître dans sa carrière. Du moins le rédacteur en chef avait-il eu la gentillesse de sacrifier un timbre pour retourner à une fillette son manuscrit, écrit des deux côtés d'une feuille.

Ce refus plongea Maud dans un profond désespoir. Pendant toute une année, elle n'envoya aucun texte à des journaux ou à des magazines. Après cette période, elle tenta de nouveau sa chance avec «Rêves du soir», qu'elle envoya à un journal de l'Île, l'*Examiner* de Charlottetown. Comme ce journal publiait souvent des poèmes qui ne valaient guère mieux que le sien, elle se disait que, cette fois, elle ne pouvait pas manquer son coup. Le jour où l'*Examiner* publierait son poème, elle deviendrait une célébrité: Maud Montgomery, Enfant prodige.

Cependant, l'*Examiner* refusa lui aussi de publier son poème. «J'étais anéantie, humiliée au plus profond de moi [...], écrivit-elle par la suite. Je brûlai "Rêves du soir". Je continuai à écrire, car je ne pouvais pas faire autrement, mais je renonçai à envoyer mes poèmes aux journaux.»

C'était dans des moments comme celui-là qu'elle répétait en elle-même, comme une prière, le poème sur le «sentier des Alpes, abrupt et rude».

8

Un amour de jeunesse

Bien que Maud, à l'âge adulte, ait toujours beaucoup insisté sur la solitude dont elle avait souffert dans son enfance, elle ne manqua cependant jamais d'amis durant son adolescence. Qui plus est, étant donné que le bureau de poste se trouvait dans une des pièces de devant de la maison des Macneill, il y avait chez eux un va-et-vient incessant de villageois qui venaient déposer ou chercher leur courrier. Au cours des soirées d'hiver, des voisins s'installaient souvent avec Alexander Macneill à la table de la cuisine pour bavarder et parler politique. Les soirs d'été, lorsque les cousines de Maud venaient chercher le courrier de leurs parents, Maud faisait souvent une partie du trajet de retour en leur compagnie. Et quand des garçons timides commencèrent à s'intéresser à elle, la collecte du courrier leur servait de prétexte pour s'attarder un moment.

Maud était très proche d'une de ses cousines au second degré, Pensie Macneill, qui avait trois ans de plus qu'elle. Ensemble, elles exploraient les rives, cueillaient des fruits sauvages, dévalaient en luge des collines enneigées et jouaient avec leurs chats. Ses grands-parents permettaient parfois à Maud de passer la nuit chez Pensie, qui avait six frères et sœurs. Comme ce serait bien, songeait alors Maud, de vivre dans une maison pleine de gens heureux !

Maud comptait également sa cousine germaine Lucy Macneill parmi ses amies, mais sa meilleure amie, dont elle partagea le banc durant toutes ses années d'école, était une cousine éloignée, Amanda Macneill. Plus tard, Maud se souviendrait d'Amanda comme d'une fille obsédée par les vêtements et les potins, mais, pendant leur jeunesse, elles étaient si proches qu'elles se jurèrent une fidélité éternelle dans des «billets de promesse» qu'elles écrivirent devant témoins avant de les sceller avec de la cire rouge. Elles parlaient pendant des heures d'affilée, et c'est avec Amanda que Maud s'absenta la première fois de l'école pour aller s'asseoir dans les bois.

Vers l'âge de quatorze ans, Maud et Amanda s'étaient liées d'amitié avec deux garçons qui étaient également assis sur le même banc en classe, John Laird et Nate Lockhart. Nate était l'un des élèves les plus brillants de l'école, et, tout comme Gilbert Blythe et Anne Shirley dans *Anne... La Maison aux pignons verts*, lui et Maud étudiaient d'arrache-pied pour surpasser l'autre et remporter le titre de meilleur élève de Cavendish. Les garçons appelaient Amanda «Mollie» et Maud «Pollie», tandis que les filles avaient surnommé John «Snap» et Nate «Snip». Mollie, Pollie, Snip et Snap formaient un club non officiel mais très exclusif, et l'affection que Nate portait à Maud agaçait certaines filles qui avaient un penchant pour lui.

Rivalités, rancunes et rumeurs de toutes sortes voyaient le jour dans la petite école blanche et douillette avec ses avant-toits bas et ses fenêtres hautes et étroites. Des sentiers serpen-taient alentour parmi les fougères et les violettes nichées dans un bosquet d'épinettes, et un ruisseau aux eaux cristallines coulait tout près de là. L'école accueillait plus de quarante élèves, âgés de six à dix-sept ou dix-huit ans, et qui étaient tous plus ou moins apparentés. Les noms des amoureux, écrits au crayon, couvraient les murs, et tout le monde savait tout au sujet de tout le monde. Les élèves aimaient tellement leur école qu'ils frottaient eux-mêmes, et avec plaisir, les pupitres, les fenêtres et même le plancher. Ce lieu tenait une place impor-tante dans leur vie. Lorsque l'un de leurs instituteurs, James McLeod, fit son discours d'adieu après un séjour de trois ans à l'école de Cavendish, les jeunes filles pleuraient toutes à chaudes larmes.

À quatorze et quinze ans, Maud préférait la très distinguée Hattie Gordon, la seule, parmi tous ses maîtres, à vraiment respecter ses ambitions littéraires. Mlle Gordon, toujours vêtue avec élégance, attirait beaucoup les regards avec ses cheveux blonds et ondulés. La colère empourprait ses joues, mais Mlle Gordon arrivait à maîtriser son humeur vive. Elle était douée pour faire aimer l'étude aux enfants. Il faut dire qu'elle ne ménageait pas ses peines, organisant des piques-niques et des concerts et encourageant ses élèves à participer aux activités de la Société littéraire.

Les répétitions pour les concerts avaient lieu le soir à l'école, mais ces séances étaient souvent ponctuées de sorties fracassantes, de batailles pour obtenir tel ou tel rôle, ou de sarcasmes destinés à certaines filles qui, peu douées pour le chant, tentaient malgré tout leur chance. Les concerts eux-mêmes avaient lieu à la salle des fêtes du village. Juste avant le spectacle, la troupe tout entière, déjà costumée, se cachait à l'extérieur, parmi les bouleaux et les érables, et jacassait en attendant le moment de faire son entrée – deux par deux, les plus petits devant, les plus grands fermant la marche – et de prendre place sur l'estrade. Maud, à l'orgue, donna une interprétation un peu chaotique de la «Marche nuptiale suédoise», récita deux textes et joua dans un sketch satirique intitulé «Le mariage de Buckwood». Le spectacle complet, qui comprenait trente-neuf numéros, reçut les plus grands éloges de la presse locale.

Grâce à ses longs cheveux, Maud obtint le rôle principal dans «La Reine des fées». Une formule magique lui servait de signal pour apparaître sur scène, sa chevelure tombant en cascade sur ses épaules sous une couronne de roses roses. Vêtue d'une robe blanche, chaussée de pantoufles délicates, une baguette magique à la main, elle était formidablement satisfaite d'elle-même. Au cours d'un autre spectacle, Maud et ses amis décorèrent la salle de roses de papier, de fougères et de drapeaux. Ils construisirent des arches avec des branches de conifères et écrivirent «Une école merveilleuse!» en branches de sapin.

Maud et Amanda aimaient tellement leur école que lorsque celle-ci était fermée, les deux filles ouvraient une fenêtre et se faufilaient à l'intérieur pour bavarder en secret.

En mai 1890, elles se joignirent à d'autres jeunes filles pour le «pique-nique des fleurs de mai» qu'organisait chaque année Mlle Gordon. Snip et Snap étaient également de la partie. Tous ces jeunes burent du thé, découvrirent un puits abandonné dans les bois, autour duquel ils dansèrent en signe de victoire avant de s'asseoir sur une colline moussue pour tresser des couronnes et faire des bouquets avec des centaines de fleurs de mai. Puis, des fleurs plein les mains et sur leurs chapeaux, Snip et Snap ouvrant la marche, ils constituèrent une procession et, tout en chantant des chansons apprises à l'école, ils défilèrent dans la campagne odorante jusqu'à une ferme, où ils continuèrent à faire de la musique avant de rentrer chez eux en riant.

Un soir d'hiver, chez un voisin, Maud participa à des jeux en compagnie d'autres jeunes et d'adultes. Un des garçons joua de la guimbarde, et tous se mirent à danser un *reel* écossais. Maud, qui n'avait jamais dansé auparavant, écrivit dans son journal: «Nous avons passé une soirée fabuleuse.» Pour ajouter à son bonheur et à la perfection de cette soirée, elle passa la nuit chez Pensie. Chaque fois que Maud échappait à ses grands-parents, elle était aux anges.

Nate Lockhart, qui était grand et mince, avait les cheveux bouclés, le teint pâle, le visage semé de taches de rousseur et les yeux gris-vert. Il n'était pas beau, mais Maud trouvait qu'à côté de lui les autres garçons de Cavendish manquaient de classe. Nate partageait la passion de Maud pour les livres, et les grands-parents de celle-ci ne surent jamais que Nate lui avait donné *Ivanhoé* et *Le Talisman*, de Sir Walter Scott, ainsi que *Eugene Aram*, un livre de Lord Bulwer-Lytton qui raconte l'histoire d'un meurtrier repenti. Maud et Nate étaient bien d'accord: Bulwer-Lytton était le plus grand écrivain du monde.

Pour parler de lui, Nate et Maud se donnaient rendez-vous sous les sapins d'une colline située tout près de l'école.

Chaque semaine, Mlle Gordon demandait à ses plus vieux élèves de rédiger une composition. La meilleure note revenait généralement à Maud ou à Nate. Lorsque le journal *Witness*, de Montréal, organisa un concours de rédaction, Maud présenta un texte sur le naufrage du *Marco Polo*, tout en craignant que Nate ne soit un concurrent dangereux. Elle avait raison. Elle obtint la troisième place du comté, juste derrière Nate.

Maud et Nate n'étaient pas seulement remarquablement doués pour l'étude. Au baseball, sport auquel s'adonnaient tous les jeunes dès que la neige avait fondu, Maud comptait parmi les meilleures joueuses chez les filles, tandis que Nate brillait du côté des garçons. En classe, Maud et Nate se glissaient des messages, écrits dans un code connu d'eux seuls. Aux récréations, ils se promenaient côte à côte en parlant de livres et d'avenir. Maud n'avait que quatorze ans, mais toute l'école savait que Nate et elle éprouvaient beaucoup d'affection l'un pour l'autre.

Maud ne fut jamais amoureuse de Nate, mais elle ne détestait pas que leur complicité fasse rager ses ennemis, dont Clemmie et Nellie Macneill, assises directement derrière Maud et Amanda, en classe. Clemmie et Nellie étaient baptistes, et l'idée que Nate, le beau-fils du pasteur baptiste, puisse aimer une presbytérienne comme Maud les révoltait. Elles-mêmes avaient un faible pour Nate et refusaient d'adresser la parole à Maud, qui leur rendait la pareille avec plaisir.

Un soir de 1889, Maud extirpa à ses grands-parents la permission d'assister à une conférence à la salle des fêtes de Cavendish puis de passer la nuit chez Amanda. Après la conférence, Nate alla les rejoindre et, se plaçant entre elles, il les raccompagna, bras dessus, bras dessous, jusque chez Amanda. Aucune des deux filles n'avait jamais été escortée jusque chez elle par un garçon, et ce geste de Nate leur fit un tel effet qu'elles furent incapables de s'endormir avant des heures. En prime, Clemmie Macneill ayant été témoin de cette promenade si lourde de sens, Maud avait la satisfaction de savoir qu'elle et Nellie seraient scandalisées. Le lendemain, l'école tout entière ne parlait que de la témérité de Nate. Après qu'il eut de nouveau raccompagné Maud et Amanda après une réunion de la Société littéraire, Maud, ravie, écrivit dans son journal: «Je sens que Clemmie va piquer une crise quand elle va entendre parler de cette deuxième "escapade".»

Selon une superstition ayant cours à l'école, si une fille comptait neuf étoiles pendant neuf nuits d'affilée, le premier garçon avec lequel elle échangerait ensuite une poignée de main deviendrait un jour son mari. La même règle s'appliquait pour les garçons et leur future épouse. Lorsque Nate annonça à Maud et à Amanda qu'il avait complété le rituel, les deux filles le supplièrent de dévoiler le nom de l'heureuse élue. S'il acceptait, promirent-elles, elles lui révéleraient un secret.

Nate accepta, à condition toutefois que Maud réponde avec franchise à toute question qu'il lui poserait. L'affaire était conclue. Nate leur apprit donc que la première fille avec laquelle il avait échangé une poignée de main après avoir vu neuf étoiles pendant neuf nuits d'affilée n'était autre que Maud elle-même. Quant à la question à laquelle celle-ci devait maintenant répondre, c'était: «Parmi tes amis de garçons, lequel préfères-tu?» C'était Nate, bien sûr, mais Maud ne voulait pas le lui avouer tout de suite. Elle déclara qu'elle ne répondrait que lorsque Nate lui aurait révélé quelle fille il préférait. Elle croyait que le garçon serait si intimidé qu'il mettrait un terme à ce jeu.

Nate n'en fit rien. Il décida de répondre par écrit et suggéra à Maud de faire la même chose. Maud conçut alors un plan encore plus tordu. Elle insista pour voir la réponse de Nate en premier. Si son nom à elle apparaissait sur le message, elle donnerait à Nate la réponse qu'elle avait déjà écrite et qui disait que, puisqu'il était plus intelligent que les autres garçons, elle supposait que c'était lui qu'elle préférait. Par contre, si elle découvrait un autre nom que le sien, elle avait l'intention de griffonner «Jack» sur un bout de papier et de le remettre à Nate. Elle décida également que si Nate lui préférait une autre fille, elle se mettrait à le détester.

Le matin du 18 février 1890, date que Maud ne devait jamais oublier, Nate lui tendit une lettre en rougissant. Après avoir demandé à Mlle Gordon la permission de s'absenter un instant, Maud courut à son coin préféré, sous un érable, pour lire le message de Nate. Là, le souffle coupé, elle apprit non seulement qu'il l'admirait plus que toutes les autres filles mais aussi qu'il l'*aimait*. Maud avait quinze ans, et elle «conserva religieusement» ce message en le copiant dans son journal intime.

Si l'aveu de Nate plaisait à Maud, il l'irritait tout autant. Elle éprouvait un sentiment de triomphe, tout en craignant que l'amour que lui portait Nate ne détruise leur amitié. Elle aurait voulu aimer un garçon qui l'aimait, mais quelque chose, chez Nate, l'indisposait. Bien que ce ne fût qu'une trace infime de la répulsion physique qu'elle éprouverait un jour pour Edwin Simpson, son malaise était réel. Pendant des mois, avant de recevoir la lettre d'amour de Nate, Maud avait pris plaisir à le taquiner; désormais, les taquineries céderaient la place à la froideur.

Plus Nate se montrait sentimental, plus Maud se raidissait. Alors Nate boudait. À d'autres moments, il parlait timidement d'aller à l'université puis de l'épouser. Maud savait que jamais elle n'épouserait Nate, mais elle se taisait. Puis, au moment où elle se demandait comment elle réussirait à se sortir de cette histoire avec Nate, elle apprit une nouvelle qui la transporta de joie: en août, elle franchirait deux mille milles pour aller vivre à Prince Albert, dans l'Ouest canadien, avec son père et la seconde épouse de celui-ci. Adieu, Snip. De Prince Albert, elle écrivit bientôt à Pensie Macneill de cesser de la taquiner, dans ses lettres, au sujet de «cet abruti de Nate Lockhart. Tu sais que je le déteste.» Rien, dans le journal intime de Maud, ne permet de supposer qu'elle et Nate se soient déjà embrassés.

9

Dans l'Ouest

Lorsque Hugh John fit venir Maud en 1890, celle-ci avait quinze ans. Elle était romantique et avait des idées bien arrêtées. Le père et la fille croyaient tous deux que Maud s'installerait à Prince Albert pour de bon. Bien qu'elle sût qu'elle aurait la nostalgie de l'école, du Chemin des amoureux, de quelques amis et de tous les arbres de Cavendish, Maud croyait qu'en quittant ses grands-parents grincheux et vieillissants elle aurait l'impression de s'évader de prison. Voilà qu'elle s'éloignerait d'eux, un peu plus chaque jour, pour se retrouver très loin, au cœur d'un immense continent, pour vivre dans la maison de son père, qui n'avait jamais cessé de l'aimer.

Maud, tout en jugeant que peu de gens la comprenaient, croyait fermement qu'elle méritait d'être connue. Ce n'était quand même pas sa faute si la plupart des gens n'étaient pas suffisamment sensibles pour l'apprécier; seules de rares «âmes sœurs» le feraient de façon permanente. Son amour des livres, son talent pour l'étude, sa facilité à plonger dans des mondes imaginaires, sa réserve secrète d'histoires et de poèmes qu'elle avait elle-même écrits et peut-être aussi la déclaration d'amour de Nate Lockhart, tout cela lui faisait sentir qu'elle n'était pas une jeune fille ordinaire. Elle était plutôt «spéciale». Et elle croyait encore qu'elle deviendrait un jour un écrivain reconnu.

Entre-temps, le voyage en train vers l'Ouest constituait une aventure merveilleuse. Maud, qui n'avait jamais vu ni automobile ni téléphone, connaissait déjà l'existence fascinante des voyages en train. Le «cheval de fer» avançait bruyamment le long des rails du Canadien Pacifique depuis déjà cinq ans. Et maintenant, en compagnie de son grand-père préféré, le sénateur Donald Montgomery, Maud prenait le traversier de l'Île-du-Prince-Édouard jusqu'à la terre ferme, entendait un chef de train crier «En voiture!» et prenait place dans une voiture somptueuse. Maud, qui n'avait encore jamais quitté son île, avait les yeux brillants d'excitation. Bientôt, elle reverrait son père et ferait la connaissance de sa jeune belle-mère. Pendant que le train traversait le Nouveau-Brunswick à toute allure en direction de la ville de Saint John, Maud sortit son cahier et commença à noter dans son journal tout ce qu'elle découvrait.

Maud écrivait en secret depuis des années et possédait un style très vivant. À la gare de Saint John, où elle et son grand-père changèrent de train, «le feu avant de notre train, tel un œil d'un rouge étincelant, émergea enfin des ténèbres environnantes; quelques secondes plus tard, la longue file de voitures arriva dans un vacarme assourdissant. Nous montâmes à bord et, bientôt, nous filions dans la nuit.» Elle décrivit les rues de Montréal, «grouillantes de monde, brillamment éclairées à l'électricité»; les rochers et les souches du nord de l'Ontario où, à certaines gares, les passagers descendaient du train pour cueillir des bleuets; les prairies du Manitoba «couvertes de tournesols brillants qui ondulaient au soleil».

Six jours après leur départ de l'Île, à cinq heures du matin par une aube froide et brumeuse, Maud et son grand-père atteignirent Regina, la future capitale de la future province de la Saskatchewan, qui, à l'époque, faisait encore partie des vastes Territoires du Nord-Ouest. Ils prirent des chambres dans un hôtel. Quand le père de Maud les rejoignit, la jeune fille se mit à rire et à pleurer sans pouvoir s'arrêter. Il y avait cinq ans qu'elle n'avait pas vu son père. Le lendemain, ils prirent place dans un train de marchandises à destination de Prince Albert, qui se trouvait à deux cents milles au nord de Regina.

Prince Albert, qui s'étendait de part et d'autre de la rivière Saskatchewan du Nord, était une ville en plein développement entourée de forêts, de fermes, de collines et de lacs. On y trouvait des hôtels, des manufactures, des scieries, des pharmacies, des photographes, des bijoutiers, des brasseries, des bouchers, des imprimeurs, des avocats et, grâce à la Gendarmerie royale du Nord-Ouest, une fanfare imposante.

Cette ville avait réussi au père de Maud, qui agissait comme crieur aux ventes aux enchères, agent immobilier, vendeur d'assurance et acheteur de droits de passage pour une compagnie de chemin de fer locale. Peu après l'arrivée de Maud, il obtint un siège au conseil municipal. Bien qu'il fût loin d'être riche, Hugh John Montgomery était affairé, populaire et travailleur. Il avait même réussi à amasser suffisamment d'argent pour se construire une belle maison devant laquelle il avait installé une clôture. Il avait baptisé la maison «Villa Eglintoune», en souvenir de ses nobles ancêtres écossais.

Hugh John avait aussi réussi à dénicher une très belle épouse. Mary Ann McRae, la nièce d'un magnat des chemins de fer, n'avait que vingt-quatre ans lorsqu'elle épousa Montgomery, alors âgé de quarante-six ans. Lorsque Maud arriva à la Villa Eglintoune, Mary était l'heureuse mère d'une fillette de deux ans nommée Kate. Dans une lettre à Pensie Macneill, Maud écrivit: «Ma petite sœur Katie est l'enfant la plus adorable qu'on puisse imaginer. Un vrai petit ange.»

La belle-mère de Maud, cependant, n'avait rien d'un ange. Maud était prête à l'aimer autant qu'elle aurait aimé sa véritable mère, et Mary et elle correspondaient depuis qu'elle avait douze ans. Les lettres de Mary étaient plutôt aimables, et celles de Maud étaient remplies de confidences enfantines, de rêves et de fleurs sauvages. Pourtant, Maud n'était pas à Prince Albert depuis trois jours qu'elle savait déjà qu'à cause de sa belle-mère elle ne serait jamais heureuse là-bas. Et, à peine une semaine s'était-elle écoulée que son père lui avouait qu'il trouvait lui aussi Mary difficile à vivre. Il demanda cependant à Maud de supporter sans se plaindre l'humeur désagréable de sa femme. «Fais-le pour moi», l'implora-t-il. Maud avait parcouru beaucoup de chemin pour se retrouver, une fois encore, dans une maison où personne ne la protégeait des injustices qu'elle subissait de la part d'un adulte.

Mary ordonna à Hugh John de cesser d'appeler sa fille «Maudie», un nom qu'elle trouvait «bébé». Elle se mettait en colère lorsque le père et la fille se remémoraient avec bonheur «le bon vieux temps» à l'Île-du-Prince-Édouard. Elle avait des crises de rage, des accès de larmes, des périodes de bouderie. Elle injuriait son mari et lui reprochait son manque de fortune. Maud jugeait que son père était adorable et qu'il n'avait rien à se reprocher, mais elle se taisait.

Elle se tut aussi lorsqu'elle découvrit que Mary se glissait dans sa chambre en cachette pour lire les lettres qu'elle recevait de l'Île. Elle continua à se taire lorsque Mary se mit en colère en découvrant qu'elle s'était liée d'amitié avec Edith Skelton, une autre adolescente qui vivait à la Villa Eglintoune; lorsque Mary, avant de quitter la maison, fermait la dépense à clef pour empêcher Maud et Edith de grignoter; et même lorsque Mary lui interdit de se coiffer en chignon. Maud soupçonnait que cette interdiction venait de ce qu'elle avait l'air plus vieille lorsqu'elle relevait sa longue chevelure et que Mary, à vingt-sept ans, ne voulait pas que les gens croient qu'elle avait l'âge d'avoir une belle-fille d'âge adulte.

Mais ce que Mary Montgomery fit de pire, ce fut de transformer Maud en servante. Le 31 janvier 1891, Mary donna naissance à Donald Bruce Montgomery, et, bientôt, Maud se retrouva en train de s'occuper des deux enfants, ainsi que de la plus grande partie des soins du ménage. Pendant ce temps, Mary participait à la vie mondaine – pourtant limitée – de Prince Albert.

Quand le bébé eut six semaines, Maud se plaignit de ce qu'il était «*tellement* difficile. C'est une véritable terreur. Il faut toujours que quelqu'un le tienne dans ses bras. Et puis, nous n'avons pas encore réussi à trouver une servante.» La somme de travail que Maud devait assumer – «Je m'épuise à la tâche», confia-t-elle à son journal – eut raison de sa santé en mars 1891. Accablée par un mauvais rhume et par une toux sévère, elle fut «épouvantablement malade» et craignit même d'avoir la coqueluche. Elle toussait encore en juin.

Maud savait qu'elle devait recevoir une instruction solide si elle voulait devenir écrivain, mais, même lorsque les tâches harassantes du ménage l'empêchèrent de fréquenter l'école pendant deux mois, elle réussit à tenir sa langue. Telle était sa détermination à préserver la paix pour faire plaisir à son père. Elle ne se plaignit jamais, pas même dans son journal intime, du fait que son père ne défendait pas son droit à fréquenter l'école.

▼

Prince Albert n'avait été constitué en municipalité que cinq ans auparavant, et l'école reflétait le côté improvisé de la vie dans une ville frontière. L'édifice lui-même était grand, l'école ayant été installée dans un ancien hôtel, mais les seize élèves n'avaient accès qu'à une seule pièce. Le soir, la classe servait de salle d'habillage pour les danseuses qui donnaient un spectacle à l'étage supérieur. Certains matins, les élèves trouvaient des fleurs, des plumes et des épingles à cheveux qui traînaient dans les coins. L'édifice abritait également la salle de réunion du conseil municipal, un bureau pour deux officiers de la police montée vêtus de rouge, ainsi qu'une prison. Maud, toujours curieuse, pénétra un matin dans une cellule miteuse, et un des policiers referma accidentellement la porte sur elle. Maud resta enfermée toute une heure avant que le policier revienne et qu'il la libère.

Les policiers traînaient parfois des ivrognes jusqu'aux cellules, et le vacarme que ceux-ci produisaient en jurant et en se bagarrant dans le couloir résonnait jusque dans la classe. Il arrivait aussi que la violence soit péniblement présente à l'école elle-même. Maud était l'une des deux seules filles de la classe, et les quatorze garçons qui composaient le reste des élèves étaient rudes et bruyants. Maud écrivit par la suite que, pour corriger les garçons, le maître utilisait un «fouet de cuir brut, long comme un homme, qui semblait horriblement efficace. Lorsque la victime arrivait à s'échapper et qu'elle se défendait au moyen d'une bûche, le spectacle était des plus impressionnants, surtout si le maître, fidèle à ses habitudes, avait fermé la porte à clé avant le début des opérations.»

L'école, située sur une colline à l'extérieur de la ville, surplombait des forêts de pins d'un côté de la rivière et des saules de l'autre côté. Derrière, des roses et des tournesols illuminaient les lointaines étendues des prairies. Maud apercevait souvent des Indiens qui avançaient le long d'une route voisine – des braves aux épaules drapées de couvertures et des «squaws aux yeux sombres et à la brillante chevelure d'un noir presque bleu, en train de jacasser, un papoose au visage minuscule attaché dans leur dos». Ce que Maud appréciait le plus à l'école, c'était le cadre où elle était située. Ce qu'elle aimait le moins, c'était le maître, celui qui maniait si bien le long fouet.

John A. Mustard avait été un camarade d'école de Mary Montgomery. Aux yeux de Maud, ce simple fait jouait déjà contre lui. Mustard était également un professeur incompétent et colérique. Il n'assignait jamais de devoirs, ne s'attendait pas à ce que les élèves apprennent quoi que ce soit et ne leur imposait guère d'examens. Les élèves pouvaient se permettre d'être aussi stupides qu'ils le voulaient. John Mustard, de l'avis de Maud, était un parfait raseur. Il avait dix ans de plus que Maud, ce qui ne l'empêcha pas de tomber amoureux d'elle. Mustard fut le premier des mâles adultes qui tombèrent amoureux de Maud alors que celle-ci n'éprouvait que de la répugnance pour eux. La cour maladroite de Mustard la rendait furieuse.

Les soirs où le père de Maud était absent, Mustard se présentait à la Villa Eglintoune et, pendant des heures, assommait Maud de discours ennuyeux qui portaient la plupart du temps sur la religion. En général, Mary Montgomery s'éclipsait afin de laisser Mustard et Maud en tête à tête, mais Maud invitait son amie Laura Pritchard, qui habitait la maison voisine, à venir l'aider à tourmenter le visiteur. Un jour, Maud avança même les aiguilles de l'horloge afin de le faire partir plus tôt.

Mustard était un homme de haute taille. Il avait des yeux bleus et une moustache dorée. Dans son journal, Maud ne ménage pas les insultes à son égard. Il était «cette fouine empoisonnante» et «cet horrible Mustard». Maud aurait voulu «tomber sur lui à bras raccourcis et lui arracher les membres!!!». Elle était furieuse de voir que toute la ville parlait de la cour que lui faisait Mustard et ne supportait pas que son père, au souper, lui demande de «passer la moutarde» (*mustard* en anglais) en souriant d'un air espiègle.

Lorsque le maître d'école lui imposa sa présence pendant ses promenades, Maud jacassa sans arrêt, sans aucune politesse, afin d'empêcher toute déclaration d'amour. Lorsqu'il l'implora de porter des roses qu'il avait cueillies, elle les déchiqueta. Lorsqu'il lui demanda enfin si leur amitié avait une chance de se transformer en amour, elle répondit qu'elle en doutait beaucoup. Elle pouvait lui offrir son amitié, mentit-elle, mais jamais davantage. Un silence pénible suivit. Les yeux de Mustard s'emplirent de larmes. Maud se retenait d'éclater de rire. Cette scène se déroulait le 1er juillet 1891. À ce moment, Maud savait déjà qu'elle retournerait bientôt vivre à l'Île-du-Prince-Édouard et qu'elle n'aurait plus jamais à poser les yeux sur John A. Mustard.

10

Voir, enfin, son nom imprimé

Maud, dans une de ses lettres, écrivit qu'elle détestait Prince Albert un peu plus chaque jour. Elle connut pourtant des moments agréables au cours de l'année qu'elle passa là-bas. Elle trouva en Laura Pritchard une amie pour la vie et portait au frère de Laura, Will, une affection toute fraternelle. «J'ai découvert ici un gentil jeune homme, écrivit-elle à Pensie Macneill, mais tu ne dois pas en parler. Il est très timide [...], mais en même temps si gentil et si mignon.» Laura et Will étaient tous deux des «âmes sœurs» pour Maud.

Will Pritchard avait les cheveux roux et les yeux verts. Il était assis derrière Maud en classe, et les premières paroles qu'il lui adressa furent pour la complimenter sur sa chevelure, «si belle qu'il n'arrivait pas à étudier». Maud aimait son drôle de sourire. Pourtant, bien que les compliments de Will la fissent rougir, elle n'était pas amoureuse de lui. Will était un bon ami, qui se trouvait aussi être un garçon.

Chaque jour, après l'école, Will raccompagnait Maud chez elle en portant ses livres. Il lui donnait des bonbons, lui déroba sa bague en or pour la taquiner et la suivait partout comme un petit chien fidèle. Il était toujours près d'elle pendant les piques-niques et épinglait des marguerites à son corsage. Il lui demanda même une mèche de ses cheveux. Maud accepta de lui en donner une après que Will lui eut retourné sa bague. Ils gravèrent leurs initiales sur un tronc d'arbre et, blottis l'un contre l'autre dans un chariot qui les ramenait d'un pique-nique, ils se protégèrent de la pluie tout en parlant d'avenir.

Maud aimait l'aspect vaste et dramatique du paysage de l'Ouest, le ciel immense et la rivière sinueuse. Elle aimait aussi la façon dont les mares, les roses sauvages, les peupliers et les saules décoraient les prairies onduleuses. Elle se promenait souvent le long de la rivière, à écouter coasser les grenouilles et à s'émerveiller de la beauté des couchers de soleil se reflétant dans l'eau. Un soir de mars où l'air était pur et vif et où la lune brillait, elle se joignit à Will et à Laura pour une promenade en traîneau tiré par des chevaux. Au son des clochettes, ils quittèrent la ville et s'engagèrent sur la rivière à toute vitesse. Riant et blaguant, ils tentèrent de repérer des étoiles, revinrent rapidement vers la ville et traversèrent celle-ci en un éclair avant de poursuivre leur longue promenade de l'autre côté.

L'hiver, cependant, le sport préféré des jeunes de Prince Albert était le toboggan. Le style, l'enthousiasme et la vitesse avec lesquels ils dévalaient les pentes faisaient paraître fades les parties de luge de Maud à l'Île-du-Prince-Édouard. Tout l'hiver, ils entretenaient avec soin une piste à la neige bien tassée. La piste comportait une série de bosses destinées à rendre la descente encore plus excitante. Les toboggans, dont certains étaient suffisamment longs pour transporter une douzaine d'adolescents hurlants, dévalaient la colline, la nuit, sous des arches ornées de lanternes chinoises, pendant qu'un gros feu de joie crépitait tout près de là.

Maud participa à une soirée au cours de laquelle elle dansa des valses, des *reels* et des polkas jusqu'à trois heures du matin. Elle fut invitée à un mariage et, telle une journaliste assignée à la rubrique mondaine, elle décrivit très précisément, à l'intention de Pensie, les toilettes de toutes les femmes présentes. Une nuit, elle échangea avec des amis des histoires de fantômes si terrifiantes qu'en se mettant au lit elle garda le dos collé au mur; elle ne voulait pas que «quelque chose» s'approche d'elle par derrière.

Par temps chaud, Maud cherchait des noisettes ou cueillait des petits fruits avec des amis, elle regardait Will jouer au cricket ou participer à des courses de chevaux (elle le vit même gagner une fois), elle participait aux piques-niques organisés par l'église. Un jour, cinquante-deux citadins franchirent en chariot les douze milles qui les séparaient d'un ranch. Là, un homme confectionna des bâtons de baseball, et, sous la voûte immense du ciel des Prairies, Maud joua au baseball tout l'après-midi. Elle se sentit ankylosée pendant des jours, mais cela n'avait aucune espèce d'importance; la partie avait été «fabuleuse», et son équipe avait gagné.

Maud adorait les moments de gloire qu'elle connaissait parfois. Son talent pour la déclamation, qui s'était affiné auprès de Mlle Gordon, là-bas à l'Île-du-Prince-Édouard, ainsi que pendant les spectacles de la Société littéraire, lui valut de nombreux compliments dans l'Ouest. Elle raconta à Pensie qu'au cours d'un spectacle elle avait récité un poème intitulé «Le Baptême». «J'ai cru que l'église allait s'écrouler sous les applaudissements, écrivit-elle. L'auditoire me bissait avec une telle insistance que j'ai dû remonter sur scène et réciter quelque chose d'autre. [...] Tu aurais dû voir le papier que j'ai eu dans le journal du lendemain.»

Cependant, ce qui arriva de mieux à Maud au cours de son séjour à Prince Albert, hormis les rares soirées où elle soupait en tête à tête avec son père, ce fut de voir un de ses textes imprimé pour la première fois. Ni la nostalgie déchirante qu'elle éprouvait pour l'Île-du-Prince-Édouard, ni sa sinistre belle-mère, ni même John Mustard n'avaient pu tarir le flot de mots qui coulaient de sa plume. En novembre 1890, juste avant son seizième anniversaire, elle écrivit un poème de 156 vers sur le meurtre du capitaine Leforce. La dernière strophe se lisait comme suit:

Aujourd'hui encore, ce cap solitaire
Qui toujours endigue le tumulte des flots
Porte le nom de celui qui tomba là-haut
Lâchement assassiné – le cap Leforce

Trois ans s'étaient écoulés depuis que l'*Examiner* de Charlottetown avait refusé «Rêves du soir». Depuis, Maud n'avait
soumis aucun texte pour publication. À présent, elle sentait
qu'il était temps d'essayer de nouveau. Pour ce qui était de
l'écriture, Maud était fermement convaincue que «la première
leçon, de même que la dernière et celle qui se trouve au
milieu», c'est «Ne jamais abandonner!». Sans même en parler
à son père, elle posta «Le Cap Leforce» au *Patriot* en espérant
un miracle. Le miracle se produisit. L'après-midi du dimanche
7 décembre, Hugh John lui tendit le *Patriot* qui était arrivé avec
le courrier du samedi. En ouvrant le journal, Maud avait le
cœur qui battait très fort et les doigts qui tremblaient. Les mots
s'étalaient là, sous ses yeux: «"Le Cap Leforce" par LUCY
MAUD MONTGOMERY, Prince Albert, Saskatchewan,
Territoires du Nord-Ouest.»

Son père était fier d'elle; sa belle-mère, vexée. Quant à
Maud elle-même, «c'était la première bulle exquise de la coupe
du succès et, bien sûr, elle m'a enivrée. [...] Impossible d'oublier
le moment où nous voyons pour la première fois le fruit de notre
esprit imprimé noir sur blanc. Ce moment se rapproche du
bonheur et de la crainte émerveillée qu'éprouve une mère
lorsqu'elle pose les yeux pour la première fois sur le visage de
son premier-né.»

En février 1891, Maud, plus sûre d'elle, entreprit de rédiger
un texte de seize cents mots, «Le Naufrage du *Marco Polo*»,
qu'elle présenta à un concours organisé par le *Witness*, un journal
de Montréal. Elle avait émaillé son texte d'images évocatrices.
Les vagues étaient «grosses comme des montagnes», et les
membres d'équipage qui avaient échappé au naufrage étaient
«une bande de durs à cuire. Bien que mouillés, épuisés et affamés,
ils avaient le moral et, pendant qu'ils s'emplissaient la panse, les
blagues ne cessaient de fuser.» Une fois encore, le miracle se
produisit. Le *Witness* imprima le texte, qui fut ensuite repris par
le *Patriot*.

En juin, le *Times* de Prince Albert publia sa description de
la Saskatchewan intitulée «Un Éden dans l'Ouest». Ce texte
connut un tel succès que plusieurs autres journaux de l'Ouest

le reprirent dans leurs pages. Le jour même où le *Times* acceptait «Un Éden dans l'Ouest», chez elle, à l'Île-du-Prince-Édouard, le *Patriot* publiait son poème intitulé «Juin». Du jour au lendemain, Maud, qui n'avait que seize ans, attirait l'attention autant dans l'ouest que dans l'est du Canada. Des gens éloignés de deux mille milles lisaient ses textes.

▼

Toute sa vie, Maud subit d'irrésistibles accès de nostalgie pour Cavendish. Ce sentiment était si fort que, lorsqu'elle savait qu'elle devait bientôt s'éloigner de son village, elle avait le mal du pays par avance. Dans les semaines précédant son départ pour Prince Albert, elle s'était inquiétée de quitter les collines et les champs qu'elle aimait tant. Tandis que le train se dirigeait vers l'ouest en longeant le lac Supérieur, qui est le plus grand lac du monde, Maud ne pensait qu'à la mer aux flots bleus, au large de Cavendish. Elle n'était pas à Prince Albert depuis trois jours que le mal du pays la prenait au point de la faire pleurer. Pour se rendre à l'école, elle empruntait des terrains vagues, de façon que personne ne puisse voir ses joues sillonnées de larmes.

Ses amis restés dans l'Île l'inondaient de lettres – certains jours, elle en recevait jusqu'à huit – et lui envoyaient des fleurs séchées ainsi que des morceaux de gomme d'épinette. Cependant, les nouvelles provenant de Cavendish ne faisaient qu'amplifier sa nostalgie. Chaque fois qu'elle lisait une lettre, elle s'effondrait en sanglotant. Les chats de l'Île lui manquaient – les chats, les pommes, les sentiers, les fougères, les fleurs de mai, les bouleaux et les érables. Elle s'ennuyait des moments passés à ramer avec un de ses oncles dans un bateau qui prenait l'eau, avant d'aller ramasser des coquillages. Elle s'ennuyait même de ramener les vaches à la maison en plein orage. Le jour, elle parlait de Cavendish et de ses amis lointains au chat famélique de la Villa Eglintoune. La nuit, elle rêvait du rivage qu'elle aimait tant et imaginait qu'elle cueillait des fruits des champs avec Pensie.

«Je te le dis, Pen, lui écrivit-elle, si tu sais où est ton bonheur, tu vas rester dans ce cher vieux Cavendish. J'ai vu pas mal d'endroits, depuis que je suis partie de la maison, et je t'assure que je n'en ai pas vu de plus beau ni de plus agréable que Cavendish. Le jour où j'y remettrai enfin les pieds sera le jour le plus heureux de ma vie.»

À la fin du mois d'avril 1891, huit mois seulement après son arrivée à Prince Albert, Maud savait qu'elle retournerait bientôt chez elle pour de bon. Bien qu'à l'origine il ait été prévu qu'elle s'installe définitivement dans l'Ouest avec son père, sa nostalgie de l'Île et son antipathie pour sa belle-mère modifièrent ses plans. Juste avant son départ, Laura et elle échangèrent des lettres scellées en jurant de ne pas les ouvrir avant dix ans. Will Pritchard, le cœur brisé, se présenta ensuite à la Villa Eglintoune et remit une autre lettre à Maud. Il était au bord des larmes. Maud emporta le message dans sa chambre, où elle le lut en pleurant. Will lui disait que jamais il ne cesserait de l'aimer.

Dans son poème d'adieu, que publia le journal *Saskatchewan*, elle écrivit:

Adieu, Prince Albert, fierté des grandes plaines de l'Ouest!
Plût à Dieu que l'avenir te soit propice;
Que tu connaisses la prospérité;
Adieu, adieu, ô noble cité.

Par un matin ensoleillé d'août 1891, les amis de Maud accompagnèrent celle-ci jusqu'à la gare de Prince Albert. La jeune fille monta à bord et courut à son siège, d'où elle agita la main en leur direction en guise d'adieu. Quand le train quitta lentement l'ombre de la gare pour s'élancer vers la lumière, Maud pleura comme si un ami très cher venait de mourir. En quittant cet endroit qu'elle avait tant détesté depuis un an, elle se rendit soudain compte qu'elle l'aimait et, pendant que le train roulait bruyamment à travers la campagne déserte, elle sanglota pendant des milles. Puis ses pleurs cessèrent. Maud rentrait chez elle. Elle avait seize ans. Elle était un écrivain publié. Elle portait même une frange, à présent, et si ses grands-parents Macneill n'aimaient pas cela, il leur faudrait s'y faire.

Cette photo de Maud date probablement du moment où elle est arrivée à Halifax pour travailler au Daily Echo. Maud affirmait détester Halifax, mais son journal intime, à l'époque, regorge de passages drôles et pleins d'espoir. Maud semblait trouver sa vie au sein du journal particulièrement stimulante.

Maud en compagnie de ses élèves de Belmont, qu'elle
jugeait grossiers et paresseux. Elle détestait à peu près
tout dans ce village.

Maud, âgée de dix ans.

Lorsque Maud avait quinze ans, son père la fit venir chez lui, à Prince Albert, en Saskatchewan. Là, elle fit la connaissance de Laura Pritchard (qu'on voit ici en photo), qui devint une amie très chère. Le frère de Laura, Will, fut l'un des jeunes hommes qui tombèrent amoureux de Maud.

L'une des cousines préférées de Maud, Stella Campbell, dans la maison de Park Corner. C'est dans cette maison que fut célébré le mariage de Maud, et, aujourd'hui, de nombreux couples décident d'y célébrer leur union.

La chambre de Maud, son
« nid blanc et paisible ».
C'est là qu'elle écrivit son
livre le plus célèbre, Anne...
La Maison aux pignons verts,
ainsi que de nombreux
autres romans et nouvelles.

Maud, âgée d'environ douze ans. À ce
moment, elle tenait déjà son
journal intime depuis trois ans.

Hugh John Montgomery, le père de Maud, resta toujours auréolé d'un prestige romantique aux yeux de sa fille, malgré le fait qu'il ait laissé celle-ci aux soins de ses grands-parents et qu'il se soit lui-même installé dans l'Ouest. Maud avait déjà quinze ans quand il la fit venir auprès de lui, mais elle ne resta pas là-bas très longtemps.

Clara Woolner Macneill, la mère de Maud. Maud avait entendu dire que Clara était émotive et qu'elle avait une âme de poète. Bien qu'elle ne l'eût jamais connue, elle se sentait très proche d'elle.

Alexander Macneill, le grand-père de Maud, était déjà âgé lorsque celle-ci vint vivre chez lui à Cavendish. C'était un homme autoritaire, qui terrifiait la petite Maud. Celle-ci lui reconnaissait cependant un certain talent pour l'écriture et disait qu'il aimait la nature, tout comme elle.

Lucy Woolner Macneill ne comprit jamais parfaitement sa petite-fille, dont l'un des prénoms était identique au sien. Elle servit en partie de modèle à Marilla, dans Anne... La Maison aux pignons verts, mais, contrairement à Marilla, elle ne se transforma jamais en « mère » chaleureuse et affectueuse.

La cuisine de Cavendish était au cœur de l'activité dans la maison où grandit Maud. À cette époque, les femmes et les jeunes filles passaient de nombreuses heures à accomplir de simples tâches domestiques.

Edwin Simpson était beau garçon et il s'intéressait aux livres, mais Maud le trouvait vaniteux. Elle accepta de l'épouser sans trop réfléchir. Il lui fallut ensuite près d'un an pour arriver à se libérer de sa promesse. Edwin l'attendit dix ans en espérant qu'elle changerait d'idée.

Le révérend Ewan MacDonald, l'homme que Maud finit par épouser. Ewan n'avait rien du héros romantique que Maud avait toujours rêvé de rencontrer, mais son entourage jugeait qu'il s'agissait d'un excellent parti.

11

À la maison, puis au collège

Le 5 septembre 1891, le vapeur *Northumberland*, qui faisait la navette entre le continent et l'Île-du-Prince-Édouard, prit la mer par un temps houleux, mais Maud était trop émue pour avoir le mal de mer. Elle se contenta de regarder droit devant, jusqu'à ce qu'elle aperçoive enfin les vertes collines de chez elle. Lorsque le bateau fut à quai, Maud prit un train jusqu'à la gare de Kensington, où elle loua les services d'un cocher, qui lui fit franchir en boghei les huit milles qui la séparaient de Park Corner.

Le soleil se couchait sur les champs prêts pour la moisson et sur les routes de terre rouge. Maud huma l'odeur piquante et familière des sapins. La vue de la mer l'emplit d'un tel bonheur qu'elle se trouva incapable de parler. Peu après, cependant, elle était en train de rire et de crier de bonheur dans la cuisine de sa tante Annie et de son oncle John Campbell. Maud avait tellement grandi et mûri au cours de son séjour dans l'Ouest qu'ils ne la reconnurent pas tout de suite. Clara et Stella Campbell sautèrent de leurs lits et se précipitèrent au rez-de-chaussée pour accueillir leur cousine préférée. Elles étaient si grandes que Maud eut du mal à les reconnaître.

Le lendemain après-midi, un autre oncle conduisit Maud à Cavendish. Il prit la route du rivage, et, tout au long des treize milles qui la séparaient de chez elle, Maud se sentait étourdie de bonheur à l'idée de se retrouver là-bas. Lorsqu'elle arriva chez Lucy et Alexander Macneill, elle sauta du boghei, se précipita dans la maison, étreignit ses grands-parents à tour de rôle et fit le tour des lieux en courant.

Dans les jours suivants, elle fit un saut jusqu'à l'école et connut de joyeuses retrouvailles avec Pensie et Amanda, qu'elle appelait toujours Mollie. Une nuit où Maud couchait chez Amanda, les deux filles bavardèrent pratiquement jusqu'à l'aube. Elles allèrent se promener le long du ruisseau de leur enfance, s'assirent dans les bois familiers et se remémorèrent le bon vieux temps. Maud aurait souhaité que Snip et Snap apparaissent. Elle savait que son histoire d'amour avec Nate Lockhart était bel et bien finie, mais elle ne voyait plus le jeune homme comme «cet abruti de Nate Lockhart». Même la détestable Clemmie Macneill accueillit Maud avec effusion.

Lorsque la fièvre du retour commença à tomber, cependant, Maud eut l'esprit tout entier occupé par son ambition littéraire. À la demande de son grand-père Macneill, elle rédigea un compte rendu de son voyage de retour et l'envoya au *Patriot*. Le texte était long mais très évocateur, et, au journal, on fut heureux de le publier. Maud, pourtant, commençait à se demander si elle deviendrait jamais un véritable écrivain. Elle voulait aller à l'université. Elle-même n'avait pas d'argent, et ses grands-parents, comme la plupart des personnes âgées de Cavendish, jugeaient qu'une fille n'avait pas besoin d'étudier au-delà de l'école secondaire. À leurs yeux, c'était une véritable perte de temps.

Au début de 1892, cette question des études n'étant pas encore réglée, Maud accepta de passer quatre mois à Park Campbell pour enseigner l'orgue à ses cousins Campbell, Clara, Stella et George. Comme elle l'avait souvent fait depuis son enfance, elle habita chez les Campbell. Maud avait alors dix-sept ans, et la maison des Campbell possédait tout ce qui manquait à Cavendish: lumière, gaieté, jeux, visiteurs, jeunesse et chaleur humaine.

▼

Bien qu'elle fût la fille des austères Alexander et Lucy Macneill, Annie était drôle et facile à vivre. C'était aussi une cuisinière hors pair, et son mari, John, qui n'avait pas son pareil pour découper les viandes, les oies ou les dindes, adorait présider aux festins destinés à la famille, aux amis et même aux étrangers. Alors qu'Alexander et Lucy Macneill offraient rarement un repas aux étrangers, John et Annie Campbell agissaient comme si l'unique but d'un travail ardu était d'ouvrir leurs portes à toute l'Île-du-Prince-Édouard. Leur ferme était grande, belle et fertile, et ils dépensaient joyeusement le fruit de leur travail à offrir l'hospitalité à tout le monde. Maud les aimait de tout son cœur, et, lorsque son boghei atteignit leur élégante maison de ferme blanche, les bons souvenirs l'envahirent.

Elle se rappelait les flammes qui dansaient dans les foyers des pièces où résonnaient les rires; la chaleur du poêle à bois Waterloo, dans la cuisine, où, avec ses cousines Clara et Stella, elle se réchauffait les pieds; les chambres bien aérées dans lesquelles elles échangeaient des confidences jusque tard dans la nuit; et le garde-manger dans lequel, le soir, elles s'entassaient en riant pour grignoter des os de poulets ou s'empiffrer de gâteaux.

À l'adolescence, cependant, les trois filles avaient d'autres préoccupations, notamment les garçons. Stella, Clara et Maud avaient chacune deux ou trois «prétendants», qui se livraient une lutte amicale pour obtenir le privilège de les raccompagner chez elles après les réunions de la Société littéraire de Park Corner et qui les emmenaient se promener en boghei à travers la campagne. Les filles parlaient pendant des heures de ce que Irv, Ev, Ed, Jack, Howe et Lem avaient pu dire ou faire, et elles ne détestaient pas être taquinées à leur sujet.

Chaque fois que Maud s'installait devant un miroir pour brosser sa longue chevelure et se refaire une beauté pour les garçons du voisinage, Frederica Campbell grimpait sur le lit pour l'observer. Frederica – une enfant au teint pâle, aux yeux verts et aux cheveux noirs – était la petite sœur de Stella et de

Clara. Elle n'avait que huit ans, et Maud aimait la taquiner au sujet d'un garçon au visage semé de taches de rousseur que Frederica détestait. Frede était la plus jeune et la moins jolie des filles Campbell, et, tout comme Maud, elle se sentait souvent incomprise. Elle qui se voyait comme «un chat solitaire» trouva en Maud la seule et unique personne en qui elle eût entièrement confiance.

L'un des admirateurs de Maud à Park Corner, en cette année 1892, était Edwin Simpson, son futur fiancé et bourreau enamouré. Un autre de ses prétendants s'appelait Lem McLeod. Maud s'irritait de ce que leur rivalité auprès d'elle fît l'objet de rumeurs et de potins; aussi, après une réunion de la Société littéraire, tenta-t-elle de leur échapper en s'enfuyant dès la fin de la soirée. Elle se trouva cependant prise au milieu de la foule qui se dirigeait vers la sortie et découvrit bientôt Ed à côté d'elle et Lem qui marchait sur ses talons. Elle leur échappa suffisamment longtemps pour dévaler les marches et atteindre la route, mais Lem la rattrapa. Celui-ci étant tout de même préférable au vaniteux Edwin Simpson, Maud le laissa la raccompagner. Elle-même s'était entichée d'un troisième jeune homme, Irving Howatt, qui l'ignorait complètement. Maud adopta donc le joyeux Lem comme cavalier habituel.

Maud se souviendrait de ces mois de flirts légers comme d'une période heureuse de sa vie, mais aucun des jeunes hommes de Park Corner ne correspondait à son idéal amoureux. Maud rêvait encore, dans un recoin de son esprit, à l'étrange Zanoni, le héros du livre de Bulwer-Lytton qu'elle avait adoré dans son enfance. Après avoir rencontré Zanoni, l'héroïne Viola déclare: «Depuis que ses yeux sombres me hantent, je ne suis plus la même. Je voudrais tant échapper à moi-même – glisser avec le rayon de soleil au-dessus des collines – devenir quelque chose qui n'est pas de ce monde.» Elle implore l'autoritaire Zanoni de la «façonner comme il l'entendra». Maud, jugeant que Viola était particulièrement niaise, récrivit le livre en se mettant elle-même en scène comme héroïne; la nouvelle Viola était vraiment digne de l'amour de Zanoni le magnifique.

▼

Pendant ce séjour à Park Corner, Maud rêvait à Zanoni, se promenait avec Lem, enseignait la musique à ses cousins... et bombardait le *Patriot* de ses poèmes. Lorsqu'elle retourna à Cavendish, en juin 1892, elle décida de devenir institutrice afin de subvenir à ses besoins en attendant de vivre de sa plume. En août, elle avait réussi, on ne sait comment, à convaincre ses grands-parents de la laisser retourner à l'école de Cavendish afin de se préparer aux examens d'admission du Prince of Wales College, à Charlottetown. Là-bas, elle espérait obtenir son brevet d'enseignement.

À ce moment-là, son institutrice Hattie Gordon, qui était la seule personne de Cavendish à vraiment encourager Maud dans son rêve d'écriture, avait été remplacée par Selena Robinson, une femme boulotte qui avait les joues rouges et les yeux bruns. Mlle Robinson était gentille, et Maud l'aimait bien, mais elle était d'une incompétence rare. À la fin de l'année, lorsque Maud se rendit à Charlottetown pour passer les examens d'admission, elle était très inquiète parce qu'elle avait l'impression de ne pas avoir appris grand-chose de Mlle Robinson.

Heureusement, le premier examen était l'examen d'anglais, qui lui rendit sa confiance. Enfermée dans une salle avec soixante jeunes de l'Île qu'elle n'avait jamais vus auparavant, elle répondit aux questions vite et bien. Par la suite, cependant, elle se rendit compte avec consternation qu'elle avait omis une question à laquelle elle aurait pu répondre facilement. Après l'anglais vinrent les examens de français, d'agriculture et, dans la même journée, de latin, d'algèbre et de géométrie. L'examen qui l'effrayait le plus était celui d'arithmétique, qui se révéla plein de pièges et encore plus difficile qu'elle ne l'avait imaginé, et qu'elle craignit d'avoir échoué.

Pendant deux semaines, Maud fut dans tous ses états en attendant les résultats. Lorsque la liste des candidats admis arriva enfin, Maud sauta de joie. Elle était cinquième sur deux cent soixante-quatre. Sans l'examen d'arithmétique plutôt raté et la question d'anglais oubliée, elle aurait peut-être obtenu les meilleurs résultats de toute l'Île.

Cet été-là ne fut pourtant pas entièrement heureux pour Maud. Son grand-père Montgomery, qui était son préféré, mourut après une longue maladie. Maud détestait aussi l'idée de quitter Cavendish pour aller étudier à Charlottetown. «C'est fini pour moi, mais pas pour les autres, confia-t-elle avec tristesse à son journal. Les réunions de prières vont continuer, les jeunes filles vont se presser le long des routes sombres à la fin des rencontres, se promener en boghei avec les garçons, assises sur le siège arrière, se moquer des Simpson... Moi, je serai loin, au milieu d'étrangers, à découvrir de nouvelles façons de vivre. J'ai le cafard rien qu'à y penser.» Charlottetown se trouvait à vingt-quatre milles de Cavendish.

▼

En arrivant à Charlottetown, Maud écrivit rapidement un poème de trente-cinq vers intitulé «Le Charme des violettes», qu'elle envoya au magazine *The Ladies' World*. Trois semaines plus tard, elle apprenait que le magazine avait accepté son poème.

Maud avait fait un grand pas en passant du *Patriot* de Charlottetown au *Ladies' World* de New York, qui publiait des textes d'écrivains reconnus. Et, contrairement aux journaux canadiens qui avaient déjà publié des textes de Maud, ce magazine lui offrait un paiment pour son poème. D'accord, le paiement consistait en deux abonnements au magazine lui-même, d'une valeur de cinquante cents chacun, mais Maud était fière et émue d'avoir obtenu quelque chose, peu importe la valeur de ce «quelque chose». C'était un pas de plus sur le «sentier des Alpes» et un début prometteur pour son séjour au Prince of Wales College.

En 1893, Charlottetown ne comptait que onze mille habitants, mais c'était la plus grande ville de l'Île, en plus d'être la capitale, le port principal et un marché important. Les hommes politiques de la partie continentale du pays s'étaient réunis là en 1864 pour élaborer une entente qui conduisit à la création du Canada en 1867, de sorte que Charlottetown, ville endormie et sociable par excellence, s'enorgueillissait à présent du titre de «Berceau de la Confédération».

Trois rivières convergeaient avec grâce dans la ville qui, vue du port, était jolie comme une carte postale. Les flèches des églises, les maisons de bois, les arbres ombreux et les édifices commerciaux de grès rouge étaient entourés de terres agricoles bien entretenues. Le soir, les reflets des lampadaires électriques nouvellement installés scintillaient sur l'eau noire et lisse.

Charlottetown ne possédait qu'une demi-douzaine de policiers, qui passaient la majeure partie de leur temps à arrêter des gens pour des crimes mineurs, par exemple l'état d'ébriété dans un lieu public. Grâce à la disposition régulière des rues, en damier, Maud n'avait aucun mal à trouver son chemin. Le dimanche soir, ses amis du collège et elle se joignaient aux citadins et, suivant la coutume locale, paradaient amicalement le long de Upper Prince Street, large de cent pieds. Maud fréquentait l'église presbytérienne de Zion, qui était le lieu de culte protestant le plus grandiose de Charlottetown. Elle allait également à la First Methodist Church, surnommée «le gros tas de briques», où elle trouvait des prédicateurs fougueux, une assemblée enthousiaste et le meilleur chœur de la ville.

Maud logeait à cinq pâtés de maisons du collège, dans une pension tenue par une veuve radine appelée Barbara MacMillan. Sa cousine Mary Campbell, du village voisin de Darlington, l'y rejoignit bientôt. Elles se prirent immédiatement de sympathie l'une pour l'autre, et quand Lem McLeod vint de Park Corner pour continuer à accabler Maud de son amour, celle-ci appela Mary à son secours, comme elle l'avait fait avec Laura Pritchard à Prince Albert pour décourager John Mustard. Maud et Mary taquinaient implacablement le pauvre Lem pour l'empêcher de demander Maud en mariage.

Maud se fit un bon nombre d'amies à Charlottetown, et elle n'avait pas trop de toutes ces amitiés pour racheter les misères qu'elle subissait chez Mme MacMillan. Les repas étaient infects et les portions minuscules, de sorte que Maud avait toujours faim. Il arriva même que Mme MacMillan serve à ses pensionnaires, en guise de souper, des petits morceaux grisâtres de mouton bouilli vingt et un soirs d'affilée !

Mme MacMillan lésinait aussi sur le charbon qu'elle faisait brûler pour chauffer la maison. Décembre venait à peine de commencer que Maud ne pouvait dormir au chaud qu'en couvrant son lit de tous ses vêtements, et même des carpettes, avant de se coucher. Un matin de février, elle trouva deux pouces de glace dans son pot à eau. Enfin, Mme MacMillan voulait à ce point avoir des pensionnaires qu'elle accepta même un couple d'affreux personnages qui ne cessaient de se disputer furieusement. L'homme était bruyant et grossier, et ses beuglements, de même que les gémissements de sa femme, épuisèrent Maud à une période où elle devait étudier d'arrache-pied pour préparer des examens particulièrement éprouvants.

Pourtant, rien de tout cela ne réussit à décourager Maud sérieusement. Elle adorait l'étude, et jamais elle ne fut plus heureuse que pendant son année de collège à Charlottetown.

12

Mlle Montgomery, institutrice

Maud s'inscrivit à un nombre éreintant de cours au Prince of Wales College. Elle était une étudiante de première catégorie, ce qui signifiait qu'elle devait s'inscrire à dix-huit matières, dont des matières difficiles comme la trigonométrie, le latin et le grec. De plus, les étudiants de cette catégorie approfondissaient davantage chacune des matières que les étudiants de deuxième ou de troisième catégorie. Il fallait normalement deux ans pour réussir ce programme, mais Maud, elle, le compléta en une seule année.

Elle laissait pourtant de côté devoirs et étude lorsque, pour son plus grand bonheur, ses cousines lui rendaient visite, ou lorsqu'elle participait aux activités sociales organisées par la paroisse ou assistait aux conférences d'un prédicateur itinérant. Cependant, même par les journées les plus froides de l'hiver, Maud ne rata jamais ses cours d'agriculture, donnés par un professeur désagréable à huit heures du matin, dans une salle de classe glaciale. En période d'examens, elle étudiait jusqu'à onze heures du soir, pour se remettre au travail à cinq heures du matin.

Le 24 mai 1894, le Canada tout entier eut congé pour célébrer le soixante-quinzième anniversaire de la reine Victoria, qui régnait encore sur l'Empire britannique, mais Maud, elle, passa toute la matinée à potasser ses notes de grec et de chimie.

Après le dîner, elle résista aux exhortations alléchantes de ses amies qui voulaient qu'elle se joigne à la foule joyeuse rassemblée dans le parc le plus achalandé de Charlottetown. Elle continua plutôt à étudier sa chimie jusqu'à trois heures de l'après-midi. Alors seulement elle se rendit au parc, bavarda avec ses amies puis retourna à la pension pour siroter une tasse de thé, grignoter quelques bonbons... et revoir ses notes de littérature anglaise.

Maud travaillait fort, mais elle n'était pas un ange en classe. Un jour, avec d'autres étudiantes, elle se rebella contre leur professeur de chimie, que personne n'aimait. Elles se partagèrent quatre livres d'arachides, qu'elles écalèrent et mangèrent avant de se bombarder d'écales, sous le regard furibond de leur professeur. On aurait dit qu'une tempête de neige venait de s'abattre sur la classe. Un autre jour, Maud et ses amies restèrent en classe après que le professeur d'anglais, John Caven, et la plupart des étudiants furent sortis pour la récréation. Une fois seules, elles s'amusèrent à déplacer les livres des étudiants absents d'un pupitre à l'autre.

Le pire crime de Maud, cependant, fut de tricher au cours d'un examen d'anglais. Elle ne le fit pas pour elle, mais pour son cousin Will Sutherland. Incapable de répondre à une des questions, celui-ci appela Maud à son secours dans un message qu'il lui fit passer par d'autres étudiants. Pendant que la réponse de Maud lui revenait, le surveillant intercepta le message. Trois jours plus tard, Caven invectivait Maud en exigeant de connaître le nom de la personne qu'elle avait tenté d'aider. Maud refusa. Comme punition, elle risquait de voir ses notes chuter dramatiquement, mais elle misait sur la clémence de Caven.

Caven, un impulsif au teint rougeaud et aux favoris gris qui sentait le tabac, aimait la littérature anglaise avec autant d'intensité que Maud elle-même. Cette dernière était son étudiante préférée. Au moment où se produisit l'incident, elle avait une moyenne de quatre-vingt-dix-huit sur cent, et Caven s'était montré élogieux pour les poèmes qu'elle avait publiés. En soupçonnant que ses discours véhéments cachaient un cœur sensible, Maud ne s'était pas trompée. Toute cette histoire s'apaisa d'elle-même.

Le printemps, avec ses arbres qui bourgeonnent, ses fleurs de mai pareilles à des étoiles roses sur le sol sombre et son annonce humide de l'été, avait toujours été la saison préférée de Maud. En 1894, toutefois, l'horaire de ses examens gâcha tout son plaisir. Le premier était le 10 mai; le dernier, le 31 mai. L'examen d'histoire romaine durait cinq heures; celui de composition grecque, quatre heures et demie; tous les autres – y compris ceux des matières que Maud détestait par-dessus tout, la chimie, la géométrie et l'algèbre – duraient quatre heures chacun.

Finalement, le soir même de son dernier examen au collège, Maud commença à étudier pour subir une série de nouveaux tests «de brevet» qui détermineraient son avenir en tant qu'institutrice. Son entêtement à étudier en ce début de mois de juin faisait honneur à la lignée de femmes dont elle était issue, car les interruptions qu'elle dut subir auraient pu facilement détourner de son but une fille moins volontaire.

D'abord, un camarade qui logeait à la même pension qu'elle, Jim Stevenson, la harcela jusqu'à ce qu'elle accepte d'écrire en secret son discours d'adieu pour la cérémonie de remise des diplômes. Quant à sa propre contribution à cette cérémonie, Maud s'acharnait déjà à élaborer un discours sur Portia, l'héroïne du *Marchand de Venise*, de Shakespeare. Enfin, deux jours seulement avant son discours à l'Opéra de Charlottetown, un mal de dents la tint éveillée toute la nuit et lui gonfla la joue gauche au point que celle-ci ressemblait à un ballon blanc. Malgré tout, Maud continuait à bûcher pour ses examens.

Le soir de la remise des diplômes, elle se sentait mieux. Sa joue avait désenflé, et Maud venait tout juste d'apprendre que, dans les examens du collège, elle avait obtenu la mention très bien dans cinq matières et la mention bien dans trois. Vêtue de sa robe préférée, de couleur crème, et portant un bouquet de pensées, elle rejoignit ses camarades de classe sur scène.

Ce fut une soirée remplie de chansons, de discours et de prix. Maud souffrait d'un trac épouvantable lorsqu'elle présenta son analyse de Portia, mais elle sut si bien le cacher que le *Guardian* de Charlottetown, en plus de la couvrir d'éloges, lui demanda la permission de publier son discours.

La Portia de Maud ressemblait à Maud elle-même: «Elle est sarcastique et n'épargne pas les faiblesses des prétendants que ses tresses blondes, sans oublier ses ducats dorés, ont jetés à ses pieds.» Cette analyse fait aussi écho aux désirs que Maud ne confiait généralement qu'à son journal intime: «Arrive alors, pour Portia, le véritable prince de conte de fées, le seul et unique, celui qui a le pouvoir d'éveiller en elle l'amour le plus tendre que puisse éprouver une femme...»

Le lundi 11 juin, trois jours à peine après la remise des diplômes, Maud se leva avant l'aube pour une révision de dernière minute. Elle engloutit son déjeuner, arriva au collège à huit heures, et, toute la journée, passa ses examens de brevet en anglais, en histoire romaine et en agriculture. Cette semaine-là, elle se présenta à trois examens par jour, tous les jours. Le vendredi, les étudiants nettoyèrent leurs chambres, firent leurs bagages, brûlèrent les notes qu'ils avaient prises pendant l'année et firent des adieux émus à leurs professeurs préférés. Beaucoup ne savaient trop s'ils devaient rire ou pleurer. Maud fit les deux.

Enfin libre de savourer les ciels et les arbres du printemps dans son île bien-aimée, Maud était pourtant triste de quitter le collège. Elle avait toujours beaucoup de mal à quitter les lieux qui avaient compté pour elle – Cavendish, Park Corner, Prince Albert, les écoles rurales où elle avait enseigné. Elle voyait ces lieux comme des bornes posées le long d'une route issue du passé et sur laquelle on ne pouvait pas revenir. Au cours des derniers jours qu'elle passa à Charlottetown, Maud décida que, parmi les milliers de jeunes hommes et de jeunes filles appelés à étudier quelque temps au Prince of Wales College, aucun ne pourrait jamais aimer cet endroit plus qu'elle-même.

Le 18 juin, Maud retourna à Cavendish, où elle attendit les résultats de ses examens.

▼

Toutes ces heures que Maud avait passées à étudier n'avaient pas été inutiles. Les examens du collège avaient été si difficiles que, des cent vingt candidats, seuls quarante-neuf les réussirent. Maud, qui avait complété en une seule année le programme prévu pour deux ans, était au sixième rang. Pour les examens du brevet, elle était cinquième sur dix-huit. Maud Montgomery était maintenant institutrice.

Il s'agissait maintenant de trouver un emploi, et, grâce aux «bons soins» de son grand-père Macneill, ce ne fut pas facile. En effet, celui-ci prétendait qu'un emploi de vendeuse était bien suffisant pour la demi-orpheline qu'était sa petite-fille. Aussi refusa-t-il de conduire Maud à des entrevues avec les administrateurs scolaires. Il refusait même de lui prêter un cheval pour qu'elle puisse s'y rendre seule. Maud dut donc se contenter de solliciter des emplois par la poste, et elle n'obtint pas toujours de réponse à ses lettres.

Après des semaines d'efforts, cependant, elle obtint un poste à Bideford, un village éloigné, situé dans la partie nord-ouest de l'Île. Elle logeait au presbytère méthodiste, une belle maison de style victorien. Maud trouva là une nourriture excellente, une chambre agréable d'où elle pouvait admirer la baie de Malpèque et, pour soulager sa solitude, une amie très proche dans l'épouse du pasteur, âgée de trente-cinq ans.

Maud aimait les habitants de Bideford. Avec eux, elle cueillait des bleuets, faisait de la voile, dansait au son du violon et assistait aux mariages, aux réunions de prières et aux activités sociales organisées par l'église. Elle jouait aussi de l'orgue et récitait des poèmes. Bideford la tenait fort occupée, mais, parfois, elle qui n'avait pas encore vingt ans broyait du noir en songeant à la magie perdue de son enfance à Cavendish.

Un samedi soir où Maud était en visite chez son oncle John, à Park Corner, Lem McLeod fit son apparition. Maud et lui avaient sillonné la campagne environnante plus de deux ans auparavant, et Lem avait relancé Maud à Charlottetown. À présent, il fit en sorte de la trouver toute seule dans la maison des Campbell et patienta tout le temps que Maud s'efforça de ne parler que de choses superficielles avant de la demander officiellement en mariage. Maud n'était pas amoureuse de Lem et elle doutait que celui-ci fût capable d'aimer vraiment quelqu'un, aussi refusa-t-elle son offre.

À Bideford, Maud ne dédaignait pas la compagnie d'un beau et gentil garçon appelé Lewis Dystant. Elle permit au jeune homme de lui rendre visite, de la promener en voiture, de lui offrir des romans et de l'accompagner à une collecte de fonds originale au cours de laquelle des goûters préparés par les jeunes filles et les femmes du village étaient vendus aux enchères. Les paniers étaient présentés les uns après les autres, les hommes annonçaient leur prix, et le plus offrant gagnait le droit de partager le goûter avec la femme qui l'avait préparé.

Maud dut soupçonner que Dystant éprouvait un sentiment profond envers elle lorsqu'il offrit le montant le plus élevé de la soirée pour le panier qu'elle avait préparé. Six mois plus tard, il la supplia de l'épouser. Lorsqu'elle refusa, il fit un tel étalage de son désespoir que Maud en fut complètement dégoûtée. Elle jugeait qu'il aurait dû mieux se maîtriser.

▼

En 1894, à l'Île-du-Prince-Édouard, la rentrée des classes avait lieu au milieu de l'été. C'est donc le 30 juillet, par un lundi étouffant, que Maud connut sa première journée en tant qu'institutrice. Vingt enfants se trouvaient réunis dans la grande bâtisse sale qu'était l'école de Bideford, et Maud comprit vite qu'ils étaient non seulement en retard dans leurs études mais qu'ils ne connaissaient rien à rien. Maud, qui n'avait que dix-neuf ans, fut prise d'inquiétude. Était-elle vraiment une institutrice? Voulait-elle même être institutrice? Doutant de ses capacités, épuisée par une grande tension nerveuse, affligée d'un intense mal du pays, elle pleura tous les jours pendant une semaine.

Dès la mi-août, cependant, Maud retrouva sa confiance en elle. Bien que le nombre d'élèves ait grimpé jusqu'à trente-huit – lui rendant ainsi la tâche beaucoup plus lourde –, elle se prit de sympathie pour eux. Avant son arrivée, chaque matin, les enfants couvraient son bureau de fleurs fraîches. Le nombre d'élèves continuait à augmenter. À la mi-septembre, Maud était responsable de l'instruction de quarante-huit enfants et adolescents. Beaucoup étaient plus grands qu'elle, et certains, tel le petit-fils d'un meurtrier local, étaient particulièrement coriaces. Pourtant, moins de trois mois après ses débuts, Maud avait le sentiment que son enseignement se déroulait à merveille.

Comme elle l'écrivit dans une lettre à Pensie Macneill, ce n'était pas avec les élèves qu'elle avait des problèmes, mais avec «ces vieux imbéciles d'administrateurs». Ils avaient laissé le bâtiment se détériorer à un tel point que, disait Maud, «je ne peux pas passer l'hiver dans cette école si elle reste dans cet état». On ne sait pas si les administrateurs firent réparer l'école, mais Maud resta là tout l'hiver. En juin, elle avait soixante élèves sous son aile peu expérimentée.

Pour son dernier jour d'école – elle quitta son poste d'institutrice pour aller étudier la littérature à l'université –, les enfants décorèrent la classe avec des masses de fleurs et de fougères et ils lui offrirent un coffret à bijoux orné d'argent. Maud leur fit ses adieux en sanglotant, et les enfants pleuraient eux aussi abondamment. Maud retourna ensuite à Cavendish – où elle connut de déchirants accès de nostalgie pour Bideford.

▼

Si, pour Maud, cette année à Bideford fut un triomphe pour sa carrière toute neuve d'institutrice, elle fut un désastre pour sa carrière d'écrivain. Ce n'est qu'en juin qu'elle arriva à faire publier une de ses nouvelles, «Un gâteau sec au gingembre», sous le nom de «Maud Cavendish». Bien que le magazine, le *Ladies' Journal* de Toronto, ait publié son texte rapidement, Maud n'en retira pas un sou. Certains de ses textes lui avaient déjà valu des abonnements aux magazines qui les avaient publiés – une fois, même, elle avait reçu des semences d'une valeur de cinquante cents –, mais, depuis le jour où, cinq ans auparavant, elle avait vu son premier poème publié, elle n'avait jamais obtenu d'argent des différents journaux et magazines. Comme elle le disait elle-même:

*Je m'étonne souvent de ne pas avoir tout abandonné, complète-
ment découragée. Au début, j'étais terriblement blessée et déçue
quand une histoire ou un poème sur lesquels j'avais sué sang et
eau m'étaient renvoyés, accompagnés d'une lettre de refus très
sèche. Malgré tous mes efforts pour les retenir, des larmes de
déception me montaient aux yeux pendant que j'allais discrète-
ment cacher mon pauvre manuscrit tout froissé au fond de ma
malle. Au bout d'un certain temps, toutefois, je m'endurcis et
cessai de m'en faire. Je serrais les dents en me disant: «Je vais
réussir.» Je croyais en moi et continuai de lutter toute seule,
dans le plus grand secret et en silence. Je ne parlai jamais à personne
de mes ambitions, de mes efforts et de mes échecs. Au fond de
moi, bien au fond, sous le découragement et le sentiment de
rejet, je savais que je réussirais un jour.*

13

Écrire... et être payée

À seize ans, à Prince Albert, Maud avait rêvé de pouvoir un jour étudier la littérature à l'université afin de parfaire son talent. Mais à Bideford, alors que sa carrière d'écrivain stagnait, elle sut qu'elle *devait* le faire. Elle était trop pauvre pour s'inscrire au programme de quatre ans menant à une licence de lettres, mais, avec l'appui d'un de ses anciens professeurs de Charlottetown, elle suivit des cours pendant un an à l'université Dalhousie. L'université se trouvait à Halifax, la capitale de la Nouvelle-Écosse, de l'autre côté du détroit de Northumberland.

Quelques générations plus tard, personne ne trouverait rien à redire au fait que des femmes fréquentent l'université, mais, dans les années 1890, elles étaient si rares à le faire que beaucoup de gens les considéraient comme des intruses ou comme des phénomènes. Les jeunes filles raisonnables allaient à l'école le temps d'apprendre à lire, à écrire et à compter. Ensuite, elles se mettaient en quête d'un mari... ou d'un brevet d'enseignement, si la chasse au mari se révélait infructueuse.

La place d'une femme n'était ni dans un bureau ni dans un laboratoire, pas plus que dans une banque ou dans une grange, mais à la maison. Son travail n'était pas de construire un pont, de diriger des affaires ou de plaider en Cour, mais d'être jolie et aimable, de plaire à son mari, de s'occuper des enfants et de rendre son foyer accueillant. Les femmes passaient pour être très portées sur les sentiments et sur la compassion, mais fort peu douées pour le raisonnement. Les penseurs étaient des hommes, et la loi canadienne sur les élections, rédigée par des hommes, refusait le droit de vote aux femmes, aux idiots, aux lunatiques et aux criminels. Si les femmes n'étaient pas suffisamment intelligentes pour voter, pourquoi leur permettre l'accès aux universités?

Lorsque Maud arriva à Dalhousie en 1895, peu de temps avant d'avoir vingt et un ans, il ne s'était écoulé que dix ans depuis que cette université avait décerné le premier diplôme de son histoire à une femme. L'idée même de femmes étudiant à l'université était encore si nouvelle que les rares étudiantes passaient pour des curiosités aux yeux de beaucoup d'habitants de Halifax. Dans les petits villages de l'Île-du-Prince-Édouard, on avait des idées encore plus étroites. Les jeunes femmes qui décidaient d'aller à l'université risquaient d'être ridiculisées pour leur snobisme intellectuel ou pour leur stupidité qui leur faisait ainsi perdre toute chance de dénicher un bon mari.

«Je ne suis pas du tout d'accord avec le fait que les filles aillent à l'université avec les garçons et se bourrent le crâne de latin, de grec et d'une infinité d'absurdités du genre», déclare Mme Rachel Lynde à Anne Shirley. Dans la vie réelle, Maud jugeait que de telles attitudes étaient particulièrement cruelles pour les femmes célibataires. Si elles ne possédaient pas l'instruction nécessaire pour gagner leur vie, beaucoup d'entre elles étaient condamnées à la pauvreté ou encore à l'humiliation de devoir vivre de la charité de parents plus riches.

En septembre 1895, tout en préparant tristement ses bagages pour son séjour à Halifax, Maud aurait souhaité avoir à Cavendish ne fût-ce qu'une amie qui lui aurait dit qu'elle avait raison d'aller à l'université. Son grand-père était tout à fait opposé à cette idée, et, bien que sa grand-mère lui eût donné de l'argent pour l'aider à payer ses dépenses, elle ne saisissait tout simplement pas pourquoi Maud courait ainsi à Dalhousie. En décidant de partir, la jeune institutrice faisait un choix courageux et solitaire.

▼

Au début, Maud n'aima pas Halifax. Avec une population de quarante mille habitants, soit près de quatre fois celle de Charlottetown, Halifax était la plus grosse ville dans laquelle elle eût jamais vécu. Une fois de plus, elle souffrit du mal du pays. Elle logeait avec des filles plus jeunes au Collège pour jeunes filles de Halifax et, comme elle était fonceuse de nature et qu'elle avait déjà eu l'occasion de gagner sa vie comme institutrice, Maud se rebiffait contre les règles de la résidence. Elle partageait une chambre avec une jeune fille de l'Île-du-Prince-Édouard qui était sourde et que Maud trouvait stupide. Elle trouvait également la salle à manger jaune du collège aussi lugubre qu'une prison. Des étudiantes en musique piochaient continuellement sur un piano. Les filles de Dalhousie étaient froides et peu serviables, et le gros bâtiment de brique où Maud assistait à ses cours était d'une laideur totale.

En octobre, cependant, Maud avait commencé à apprécier sa vie d'étudiante. Pour se rendre de la résidence où elle logeait jusqu'à l'université, elle avançait dans la lumière dorée du matin, au cœur du ballet gracieux des feuilles d'érable en train de tomber et de la gelée blanche du petit matin. La bibliothèque de l'université était une véritable mine d'or pour une amoureuse des livres. Maud suivait des cours d'allemand, de français, d'histoire romaine, de latin et, sous la direction du professeur Archibald MacMechan, deux cours de littérature anglaise. MacMechan, alors âgé de trente-trois ans, allait devenir une figure marquante de la littérature canadienne en tant que poète, essayiste, nouvelliste et érudit. Maud commença par le prendre pour un gringalet aimable et sans importance, mais, bientôt, elle attendit ses cours avec impatience. Lui-même remarqua le talent de la jeune femme dès le premier texte qu'elle lui soumit, et Maud fut bientôt son étudiante vedette.

En décembre, Maud échappa à sa camarade de chambre peu dégourdie et se retrouva seule dans une chambre douillette éclairée au gaz. Elle s'était liée d'amitié avec quelques jeunes femmes, qu'elle rejoignait en silence pour de discrètes séances de bavardages et de discussions après le couvre-feu de vingt-trois heures. Elle fréquentait l'église presbytérienne la plus populaire de la ville, assistait au plus grand nombre d'opéras possible, se promenait dans les parcs magnifiques de Halifax et, assise au sommet d'une rue en pente, observait le port hérissé de mâts. Halifax n'était pas si mal, après tout.

Le soir du samedi 15 février 1896, le *Evening Mail* de Halifax annonça qu'une certaine «Belinda Bluegrass» avait triomphé de centaines de concurrents ayant tenté de répondre à la question suivante: «Qui, de l'homme ou de la femme, fait preuve de plus de patience face aux tracas quotidiens?» Chaque soir, pendant des semaines, le journal avait publié les meilleurs textes, qui se présentaient généralement sous forme de lettres interminables. La réponse de Belinda Bluegrass, rédigée en vers, ne totalisait toutefois que trente-deux lignes. L'arbitre du concours, Archibald MacMechan, ne savait pas que Belinda Bluegrass était en fait son étudiante vedette ni que celle-ci avait gribouillé son poème d'un trait à trois heures du matin. Ce qu'il savait, par contre, c'était que le poème était un modèle «de réflexion, de pertinence et de véracité».

Pour prouver que les femmes étaient plus patientes que les hommes, Maud décrivait le manque de patience des hommes dans des passages comme celui-ci:

> *Observez un homme qui essaie de calmer*
> *Un bébé occupé à hurler,*
> *Ou qui tente d'installer un tuyau de poêle*
> *En plein hiver, dans le froid et le gel;*
> *Voyez comme il s'énerve, et rage, et rouspète,*
> *Comme il trépigne, et fulmine, et tempête!*

Voilà qui convainquait MacMechan. Il accorda donc à Belinda Bluegrass le premier prix de cinq dollars. C'était la première fois que Maud recevait de l'argent pour un de ses textes. Elle avait un pressant besoin d'argent, mais son amour des livres était si fort qu'elle s'empressa de dépenser l'argent de son prix pour de belles éditions de ses poèmes préférés. Elle investit ses premiers gains comme écrivain dans «quelque chose que je pourrais conserver à tout jamais et qui me rappellerait que j'avais enfin "réussi"».

Maud avait écrit une histoire intitulée «Charivari», dont le point de départ était une bruyante coutume de l'Île-du-Prince-Édouard. Après un mariage, des farceurs se noircissaient le visage et endossaient des déguisements excentriques avant d'effrayer les nouveaux mariés en soufflant dans des cornets, en agitant des clochettes, en tapant sur des casseroles... Maud avait envoyé son histoire à *Golden Days*, un magazine américain destiné aux enfants. Et voilà que, cinq jours seulement après le triomphe de Belinda Bluegrass, elle reçut une enveloppe de Philadelphie, dans laquelle elle trouva un nouveau chèque de cinq dollars. *Golden Days* allait bientôt publier «Charivari», de «Maud Cavendish».

La période de chance de Maud se poursuivit pendant tout son séjour à Halifax. En mars, *The Youth Companion*, un magazine de Boston dont le tirage dépassait le demi-million d'exemplaires, lui donna douze dollars pour son poème «Femmes de pêcheurs». Pour ce poème, Maud s'était inspirée des femmes de Cavendish qui, au coucher du soleil, attendent le retour de leurs maris partis en mer.

Il y avait déjà six ans que Maud envoyait des textes aux journaux et aux magazines, mais elle n'avait jamais retiré un sou des textes publiés. Et voilà que, en moins d'un mois, elle récoltait vingt-deux dollars pour deux poèmes et une histoire pour enfants. En 1896, une jeune femme pouvait s'offrir beaucoup de choses avec vingt-deux dollars. Les frais de scolarité de l'année qu'elle avait passée à Prince of Wales College ne totalisaient que cinq dollars. Elle pouvait acheter une paire de bottes pour quatre-vingt-quinze cents, des gants en peau d'agneau pour quarante-neuf cents, un roman de Sir Walter Scott pour vingt-cinq cents et une brosse en ébène pour soixante-quinze cents.

«Je me sentais riche à craquer avec tout cet argent, commentait Maud en 1917. Jamais de toute ma vie, ni avant ni après, je n'ai été aussi riche!»

Pourtant, l'argent lui-même avait moins d'importance que ce qu'il représentait. En avril, lorsque Maud quitta Halifax sur le vapeur *Stanley* pour une traversée agitée vers l'Île-du-Prince-Édouard, elle avait au moins prouvé qu'elle pouvait échanger ses mots contre des dollars.

▼

Maud passa des mois à solliciter des postes d'institutrice à l'Île-du-Prince-Édouard, à voir sa candidature refusée par des administrateurs scolaires et à pondre des poèmes et des histoires. Elle vendit trois nouvelles histoires à *Golden Days*, cet été-là, et une autre à un important magazine pour adultes. À la mi-août, alors qu'elle avait pratiquement abandonné l'espoir d'obtenir un poste, elle se vit offrir l'école de Belmont, un village situé à quarante milles de Cavendish. Comme elle ne pouvait pas savoir ce qui l'attendait là-bas, elle fut ravie de trouver du travail. C'est pourtant à Belmont qu'elle aurait à supporter la jalousie maladive de Fulton Simpson et la torture de ses fiançailles avec Edwin Simpson. Son année à Belmont serait suivie de son séjour à Lower Bedeque où, dans sa passion pour Herman Leard, elle connaîtrait autant le bonheur que le désespoir.

Plus tard, en se rappelant cette période de sa vie – et d'autres –, Maud confessa: «J'étais un être extrêmement impulsif et passionné [...]. Je vivais chaque émotion avec excès, qu'il s'agisse de haine, d'affection, d'ambition ou d'autre chose [...]. C'était un très grave défaut, qui m'a beaucoup nui, mentalement, moralement et physiquement.»

Son écriture lui servait toutefois de point d'ancrage et lui permettait de conserver un certain équilibre lorsqu'elle se trouvait prise dans un tourbillon d'émotions. À Belmont, qu'elle détestait autant qu'elle détestait la pension où elle logeait, Maud, épuisée par des rhumes sans fin, écrivait calmement dans son journal: «Je m'acharne encore sur mes textes. La route vers la littérature est très lente, mais j'ai fait beaucoup de progrès depuis l'année dernière à la même période, et j'ai l'intention de continuer à travailler avec patience jusqu'à ce que j'obtienne reconnaissance et succès – ce que je suis sûre d'obtenir tôt ou tard.» Elle ajoutait, tout naturellement: «Je suis dans ma chambre, en ce moment, et je crois que je vais gribouiller une description de celle-ci afin d'en conserver le souvenir intact.» Elle préférait établir la liste des babioles posées sur sa tablette plutôt que d'affronter les ogres hantant son esprit.

Dans les dix mois qui séparent la nuit où elle accepta d'épouser Edwin Simpson et celle où elle fit ses adieux à Herman Leard – et qui constituent la période la plus mouvementée de sa vie –, Maud vendit au moins neuf histoires, dont deux à *Golden Days* et cinq à un important journal américain, le *Times* de Philadelphie. Elle vendit également une douzaine de poèmes, pas seulement à des magazines pour enfants et à des journaux de l'école du dimanche, mais aussi à trois des plus prestigieux magazines féminins d'Amérique du Nord. Les revenus que lui rapportait son écriture n'étaient pas encore suffisants pour la faire vivre, mais, à vingt-trois ans, Maud pouvait se vanter d'être un écrivain professionnel.

À Cavendish, les gens qui s'étaient déjà moqués de ses ambitions littéraires prétendaient à présent qu'elle ne devait son succès qu'à la chance. Ils ne surent jamais tout ce qu'elle avait enduré pour arriver jusque-là.

14

Le retour d'une journaliste

Au début de l'année 1898, Maud était toujours à Lower Bedeque, toujours folle d'amour pour Herman Leard et toujours bourrelée de remords pour la façon dont elle avait traité Edwin Simpson. Puis, le 5 mars, son grand-père Macneill mourut subitement, apparemment d'une crise cardiaque. Il semblait bien portant jusqu'à l'heure du midi. Il se plaignit alors d'une douleur, tomba de sa chaise et expira.

Alexander Macneill ne s'était pas toujours montré bienveillant envers Maud, mais il n'en était pas moins son grand-père. Maud avait passé la majeure partie de sa vie sous son toit. La maison de son grand-père était la sienne, vibrante de souvenirs, et Maud ne se souvenait pas d'un moment où son grand-père n'avait pas exercé d'influence sur elle. Elle éprouvait même une sorte d'amour craintif envers lui. À présent, il n'était plus là, et sa disparition brutale laissa un vide dans la vie de la jeune femme.

Le père d'Herman Leard conduisit Maud de Lower Bedeque à Summerside en traversant le port gelé dans un traîneau tiré par un cheval. À Summerside, Maud prit un train jusqu'à Kensington, où un ami de la famille l'attendait pour l'emmener jusqu'à Cavendish. De nos jours, on peut aller de Lower Bedeque à Cavendish en moins d'une heure, mais, à cette époque, il était tellement difficile de voyager l'hiver que quand Maud arriva enfin au domaine des Macneill son grand-père était mort depuis deux jours et demi. Lorsque Maud l'aperçut, étendu dans son cercueil, il lui sembla plus aimable dans la mort qu'il ne l'avait jamais été de son vivant. Elle se rappela aussi avoir vu sa propre mère, la fille du vieillard décédé, allongée au même endroit dans un cercueil semblable.

Depuis l'âge de sept ou huit ans, alors qu'elle n'était encore qu'une petite fille maigre aimant gribouiller, Maud entendait sa grand-mère lui répéter qu'elle devrait être reconnaissante de la générosité dont les Macneill faisaient preuve à son égard. À présent, la vieille femme retirerait les fruits de tous ses sermons. C'était une question de justice. Elle s'était occupée de Maud; Maud quitterait donc l'enseignement pour venir s'occuper d'elle. Lucy Woolner Macneill avait cinq enfants, dont John Macneill qui vivait dans la ferme voisine, mais aucun n'offrit de prendre soin de sa mère devenue veuve. Cette tâche reviendrait à Maud. Elle serait retenue indéfiniment auprès de sa grand-mère, tout comme elle l'avait été pendant son enfance.

Maud ne pouvait échapper à son sort. C'était une question de devoir, et s'il y avait une chose que l'église presbytérienne lui avait inculquée, c'était le sens du devoir. Et il était très mal vu, en 1898, de confier les vieillards à des étrangers sous prétexte qu'ils étaient un fardeau. Les familles de l'Île-du-Prince-Édouard prenaient soin de leurs membres.

Si Maud n'était pas retournée vivre à Cavendish, son avenir, celui de sa grand-mère et celui du domaine familial auraient été incertains. Alexander Macneill avait légué sa ferme non pas à sa femme mais à son fils John, en précisant que celui-ci pourrait en prendre possession lorsque sa mère mourrait ou qu'elle quitterait les lieux pour de bon. De telles conditions étaient courantes à l'époque. Les femmes héritaient rarement des fermes de leurs maris. «Les femmes venaient avec les meubles», déclara la femme d'un des descendants de John.

Maud n'aimait guère son oncle John et elle ne lui faisait pas confiance. Elle craignait qu'il ne tente d'expulser sa propre mère de chez elle. En s'installant là-bas pour aider sa grand-mère, alors âgée de soixante-quinze ans, à s'occuper du bureau de poste de Cavendish, la jeune femme s'assurait que toutes deux pourraient continuer à vivre dans la maison qu'elles aimaient.

Au début, Maud fut heureuse de retrouver Cavendish. Elle flâna en solitaire près du ruisseau de l'école, se rafraîchit l'âme sur le Chemin des amoureux et s'adonna avec bonheur à son nouveau passe-temps, la photographie. La Société littéraire était en pleine expansion, et Maud se plongea avec délices dans des romans et des ouvrages historiques. Elle lisait même des encyclopédies par pur plaisir. Le soir, appuyée contre une pile d'oreillers, elle approchait une table à côté de son lit et lisait à la lueur d'une lampe à huile jusqu'à ce que les yeux lui piquent et qu'elle ne voie plus rien.

Maud remplissait également ses obligations sociales. Elle rendait visite aux membres de sa famille qu'elle aimait le plus, à Park Corner, assistait à des concerts et à des fêtes de charité, confectionnait des gâteaux et des puddings pour des bonnes causes et s'inscrivit à un «cercle de couture» destiné à collecter des fonds pour la construction d'une nouvelle église. Bien qu'elle ne fût pas une presbytérienne convaincue, elle allait à la vieille église tous les dimanches. Ce lieu était rempli de souvenirs, et Maud pleura lorsque l'église fut démolie.

Au cours de l'hiver 1900, un télégramme de Prince Albert apporta une nouvelle aussi triste qu'inattendue. Le père de Maud, Hugh John Montgomery, venait de succomber à une pneumonie à l'âge de cinquante-neuf ans. Maud le pleura pendant des semaines et, plus d'un an après, elle se plaignait encore de ce que la mort de son père avait laissé en elle une boule de douleur et de regret lancinant.

La vie avec sa grand-mère influençait le moral de Maud, qui s'ennuyait beaucoup et qui avait tendance à broyer du noir. Les soirs d'hiver, assise à table, son chat à ses pieds, Maud lisait ou écrivait des lettres et des histoires. À ses côtés, la vieille femme cousait et lisait, interminablement. Maud avait soif de conversations, de blagues, de compagnie, mais la revêche Mme Macneill ne tolérait guère les visiteurs. Quand Maud n'en pouvait plus, elle enfilait son manteau et sortait marcher. Mais la neige, tel un linceul blanc, recouvrait le paysage que Maud aimait tant, et l'air de la nuit était aussi froid que la face nord d'une pierre tombale. Rien ne bougeait. Tout était si calme que Maud avait envie de hurler.

Alors elle écrivait.

Trois mois après la mort de son père, Maud nota gaiement dans son journal que son écriture lui avait rapporté quatre-vingt-seize dollars et quatre-vingt-huit cents au cours de l'année 1899. C'était à peine la moitié de ce qu'elle aurait gagné comme institutrice, et les journaux et magazines lui refusaient encore neuf textes sur dix, mais Maud ne douta jamais qu'un jour elle vivrait confortablement de sa plume. Elle avait conscience que son écriture s'améliorait constamment. Elle avait aussi découvert qu'un texte refusé par un journal pouvait fort bien être accepté par un autre, aussi dès qu'un magazine lui retournait une histoire, elle envoyait aussitôt celle-ci ailleurs. Il lui arrivait parfois de retravailler un texte refusé des années auparavant, de l'envoyer ensuite à une revue et de voir ce texte publié.

En 1901, Maud, cédant aux demandes des rédacteurs en chef qui se plaignaient de son écriture, avait acheté une machine à écrire d'occasion. C'était sans doute celle qu'elle décrivit plus tard comme une «machine mal fichue» qui rognait les majuscules «et ignorait complètement le "w"», mais cette machine était néanmoins un signe de son professionnalisme croissant.

À cette époque, elle avait déjà vendu des poèmes et des histoires à des magazines américains prestigieux tels que *Ladies' Home Journal* et *Good Housekeeping*, à d'importants magazines canadiens comme *Family Herald* et *The Canadian*, et à au moins trois douzaines d'autres périodiques, américains pour la plupart. «J'ai pondu des histoires et des poèmes certains jours où il faisait si chaud que je craignais que ma moelle même ne se liquéfie et que ma matière grise ne se mette à grésiller, écrivait-elle en août 1901. Mais, oh! comme j'aime mon travail! J'aime inventer des histoires, et j'aime aussi m'asseoir à la fenêtre de ma chambre et façonner un poème à partir de quelques pensées fugitives et folles.»

▼

Vers la fin de 1901, lorsqu'un cousin germain de Maud, Prescott Macneill, accepta de vivre avec sa grand-mère, la vieille femme permit à Maud de déménager à Halifax pour travailler au *Daily Echo*. Son salaire n'était que de cinq dollars par semaine, mais Maud voulait travailler pour un journal et mettre le pied dans le journalisme. Son passage au *Daily Echo* représenta sa dernière tentative d'indépendance avant neuf longues et sombres années.

Maud eut vingt-sept ans pendant qu'elle travaillait au journal. Elle aimait être la seule femme parmi une bande de journalistes mâles qui fumaient le cigare, faisaient beaucoup de blagues et adoraient les calembours. De son bureau au deuxième étage d'un bâtiment de brique rouge au centre-ville de Halifax, elle entendait le vacarme provenant de l'atelier de composition situé à l'étage supérieur. Au-dessus d'elle, des hommes déplaçaient de lourds appareils, utilisaient des machines à composition bruyantes, assemblaient les caractères métalliques qui servaient à imprimer le quotidien. Au sous-sol, surnommé la «cuisine de l'enfer», l'imposante presse avalait d'énormes rouleaux de papier blanc à une extrémité et régurgitait des exemplaires soigneusement pliés de l'*Echo* à l'autre extrémité.

Le bureau de Maud donnait sur une cour traversée d'une telle quantité de cordes à linge qu'elle se demandait si toutes les laveuses de la ville n'avaient pas élu domicile dans le voisinage. Des chats rôdaient et miaulaient sur les toits, et le tuyau d'échappement d'un moteur situé plus bas projetait des gaz directement sous sa fenêtre. Maud travaillait dans des nuages de poussière et elle se sentait sale à longueur de journée; puis, quand, dans le crépuscule grisâtre, elle marchait le long de rues désertes pour rentrer dans sa chambre solitaire, la nostalgie la prenait à la gorge et ne la lâchait plus.

Malgré tout, Maud aimait travailler dans un journal.

Elle passait ses matinées à lire les épreuves – tirage d'essai des articles devant faire partie du journal qui sera imprimé plus tard – afin de repérer et de corriger les erreurs. Elle avait du plaisir à revoir les épreuves, mais, comme elle l'admettait elle-même: «En dépit de tous mes soins, des erreurs "se glissent" inévitablement dans les textes, et ça me vaut des ennuis. Quand j'ai des cauchemars, à présent, je rêve de manchettes épouvantablement de travers et d'éditoriaux illisibles, qu'un chef furieux me brandit en pleine face.» À l'heure du lunch, elle prenait une bouchée dans un restaurant voisin, marchait un peu puis retournait à l'*Echo* pour se plonger dans de nouvelles épreuves jusqu'à deux heures et demie. C'est à ce moment-là qu'on mettait en branle la presse bruyante et que les hommes posaient les pieds sur leurs bureaux ou qu'ils disparaissaient. Maud, cependant, devait répondre au téléphone et exécuter diverses tâches jusqu'à six heures.

Le samedi, elle mettait au point la rubrique des «mondanités». Si un correspondant de l'*Echo* négligeait d'envoyer son texte, le patron de Maud ordonnait à celle-ci d'en écrire un elle-même. Il lançait sur son bureau le dernier numéro du journal de la ville où habitait le correspondant négligent en ordonnant: «Forgez une rubrique mondaine à partir de ceci, Mlle Montgmomery.»

«Alors, écrivit un jour Maud, la pauvre Mlle Montgomery se met humblement au travail et concocte un paragraphe d'introduction dans lequel il est question de "feuilles d'automne", de "jours doux", de "gelées d'octobre" ou de tout autre cliché convenant à la saison. Je scrute ensuite attentivement les articles de l'hebdomadaire qu'on m'a fourni, je découpe toutes les annonces personnelles et les nouvelles faisant état de mariages, de fiançailles, de réceptions, etc., je mêle tout ça dans un style épistolaire, j'utilise le nom de plume du correspondant... et vous avez votre rubrique mondaine!»

Forger ces rubriques était l'une des quelques «astuces journalistiques» que Maud détestait exécuter. Une autre était la coutume du temps des Fêtes «d'offrir à toutes les compagnies qui achètent de la publicité dans notre journal un "compte rendu" de leur marchandise de Noël. Il faut que je visite tous les magasins, que j'interroge les propriétaires, que je fasse une synthèse de l'information. [...] De trois heures à cinq heures, tous les après-midi, je flâne du côté des magasins jusqu'à ce que le froid ait complètement rougi mon nez et que j'aie les doigts engourdis d'avoir pris trop de notes.» Elle trouvait les vendeurs et vendeuses de Halifax plutôt snobs, mais fut absolument ravie lorsque sa réclame pour une boutique de chapeaux donna au propriétaire l'idée de lui offrir un de ses chapeaux les plus élégants.

Maud eut bientôt sa propre rubrique, intitulée «En prenant le thé», qu'elle signait sous le nom de «Cynthia» et qui paraissait tous les lundis. Maud remplissait l'espace qui lui était alloué avec toutes sortes de détails drôles ou étonnants sur la photographie, la mode, la cuisine, la coiffure et tout ce qui pouvait l'amuser. L'*Echo* recevait des journaux d'autres villes, et Maud les dépouillait systématiquement afin de dénicher des idées pour «Cynthia».

▼

Trois mois après son arrivée dans la salle de rédaction, Maud était celle que tout le monde sollicitait pour boucher les trous. Lorsque quelqu'un perdit la deuxième moitié de «Royales fiançailles», une histoire «empruntée» dans un journal britannique, le patron ordonna à Maud de compléter le texte. La jeune femme n'avait pas la moindre idée de la façon dont l'auteur avait bouclé l'intrigue. «De plus, se plaignit-elle, ma connaissance des histoires d'amour royales est des plus limitées, et je n'ai pas été habituée à traiter les rois et les reines avec irrévérence.» Pourtant, «je me mis à la tâche et parvins à écrire la fin de cette histoire, qui a été publiée aujourd'hui. Jusqu'à maintenant, personne n'a pu identifier où se trouve le "joint".»

À un retour de voyage, le patron de Maud découvrit, à sa plus grande horreur, que l'*Echo* publiait des extraits d'un roman minable dont un jeune rédacteur avait acquis les droits. Le roman s'intitulait À *l'ombre*, et l'intrigue n'en finissait plus de s'étirer. Une fois de plus, le patron s'en remit à Maud. «On m'a ordonné de prendre le roman et d'en éliminer tous les passages inutiles, écrivit-elle. J'ai suivi les ordres, et j'ai éliminé tous les baisers et toutes les étreintes, les deux tiers des scènes d'amour et toutes les descriptions, ce qui a eu pour résultat de réduire le roman des deux tiers.» Des semaines plus tard, elle se réjouit d'entendre une femme s'étonner de ce que À l'ombre fût «l'histoire la plus bizarre que j'aie jamais lue. Ça s'est allongé, chapitre après chapitre, pendant des semaines, sans jamais sembler aller nulle part et puis, tout d'un coup, ça s'est terminé en beauté. Je n'y comprends rien.»

Tout en travaillant neuf heures par jour au journal, en soupant souvent au restaurant avec des amies et en se déplaçant à travers la ville dans les tramways électriques qui avaient récemment remplacé les voitures tirées par les chevaux, Maud trouvait le temps d'écrire pour des magazines. Au cours des neuf mois qu'elle passa à Halifax, elle vendit plus de trente histoires – presque une par semaine. Elle réussit à faire accepter des poèmes par trois revues à forts tirages: The Delineator et The Smart Set, tous deux de New York, et Ainslee's, de Londres. Le plus étonnant, c'est qu'elle écrivait ses poèmes et ses histoires au milieu du vacarme de l'Echo.

Son salaire ne couvrant que ses repas et sa chambre, elle dut commencer à vendre des textes à des magazines dès son arrivée à Halifax si elle voulait s'habiller un peu. Au début, elle tenta d'écrire le soir, mais elle était trop épuisée pour faire autre chose que repriser et coudre. Certains matins, elle se levait à six heures pour écrire, comme elle l'avait fait du temps où elle enseignait à Belmont. Elle découvrit toutefois rapidement qu'elle n'arrivait plus à assembler des mots l'estomac vide, dans une chambre glaciale, avant le lever du soleil.

Elle avait deux choix: rentrer à l'Île-du-Prince-Édouard en rampant, vaincue, ou apprendre à écrire dans le vacarme de l'Echo.

Maud avait toujours cru que, pour créer, elle devait être toute seule dans une pièce silencieuse. «Jamais je n'aurais même imaginé pouvoir écrire quoi que ce soit dans la salle de rédaction d'un journal, écrivit-elle peu après son arrivée à l'Echo, alors que des liasses d'épreuves me tombent dessus aux dix minutes, que les gens se déplacent et parlent sans arrêt, que les téléphones sonnent à tout moment et que les machines font un bruit d'enfer au-dessus de ma tête. J'aurais ri d'une idée aussi saugrenue. [...] Mais l'impossible s'est produit. Je suis parfaitement d'accord avec l'Irlandais qui a dit qu'on s'habituait à tout... même à être pendu! Dès que j'ai un moment de libre, ici, j'écris.»

Son passage à l'*Echo* lui apprit qu'elle pouvait écrire à peu près n'importe où.

L'équipe du journal aimait Maud et aurait voulu que celle-ci y retourne après avoir passé l'été de 1902 chez elle, à l'Île-du-Prince-Édouard. Cependant, Prescott Macneill avait rendu sa grand-mère malheureuse tout l'hiver, et, en juin, l'ex-journaliste retourna à Cavendish, la mort dans l'âme, pour vivre avec une Lucy Woolner Macneill de plus en plus irritable.

Maud prétendait qu'elle n'avait jamais vraiment aimé Halifax, mais, durant ses séjours là-bas, comme étudiante puis comme journaliste, elle remplit son journal intime de remarques légères, pétillantes et pleines d'espoir. Ce sont les commentaires d'une jeune femme qui jugeait qu'aujourd'hui allait bien, que demain serait palpitant et qui se sentait estimée à sa juste valeur par des gens qu'elle respectait.

À Cavendish, cependant, au cours des années à venir, Maud connaîtrait l'amertume et le désespoir, et elle aurait l'impression de n'être qu'une vieille fille sans avenir. Aux côtés de sa grand-mère, elle souffrit d'une solitude intense et douloureuse qui menaça même son équilibre mental.

Pourtant, ce fut pendant ces années que son esprit retourna vers le passé, trouva les morceaux dont elle avait besoin pour faire naître une orpheline rousse qui n'avait pas froid aux yeux, et mit ensemble ces morceaux pour créer *Anne... La Maison aux pignons verts*.

15

Prise au piège

Pendant qu'elle vivait avec sa grand-mère, au début des années 1900, Maud fréquenta des hommes de Cavendish, mais ceux-ci n'éveillèrent chez elle ni stimulation intellectuelle ni passion comparable à celle qu'Herman Leard avait attisée chez elle. Pour lutter contre sa solitude, et échanger des idées avec des hommes qu'elle respectait, elle entretenait des relations épistolaires avec Ephraim Weber, en Alberta, et George B. MacMillan, en Écosse.

Maud entra en contact avec ces deux hommes, qui voulaient eux aussi devenir écrivains, par l'intermédiaire de Miriam Zieber, une femme de Philadelphie avec laquelle elle correspondait déjà. Mlle Zieber nourrissait également des ambitions littéraires, mais elle possédait plus d'enthousiasme que de talent. Elle correspondit avidement avec des écrivains ou des aspirants écrivains pendant un certain temps, avant de se marier en 1904 et de disparaître complètement de la vie de Maud. En mettant celle-ci en contact avec Weber et MacMillan, cependant, Mlle Zieber lui avait rendu un immense service. Pendant près de quarante ans, Maud confierait à ces deux hommes des choses qu'elle ne racontait à personne d'autre.

« Vous vous demandez pourquoi je ne voyage pas, écrivit-elle à Weber en 1906. C'est tout simplement parce que je ne peux pas m'éloigner de chez moi. Ma grand-mère a quatre-vingt-deux ans, et je ne peux pas la quitter, ne fût-ce que pour une croisière d'une semaine. Nous vivons seules, et je ne peux trouver personne pour venir rester avec elle. Je suis vraiment clouée ici, mais je n'y peux rien. Un jour, j'espère avoir la chance de voir un peu le monde.» En attendant, elle ne pouvait même pas s'échapper jusqu'à Charlottetown plus qu'un ou deux jours par année.

Maud confia à MacMillan que, grâce à l'étrange éducation qu'elle avait reçue, elle possédait les qualités nécessaires pour supporter l'ennui de sa vie avec sa grand-mère. Son enfance l'avait obligée à se construire «un monde de rêve et d'imagination très différent de celui dans lequel je vivais, bougeais et présentais mon être extérieur. [...] J'ai fini par quitter ce monde de rêve de mon enfance et par entrer dans la réalité. Certaines des expériences que j'ai vécues ont pu me meurtrir l'esprit, mais elles n'ont jamais abîmé mon monde idéal, dans lequel j'ai toujours pu me réfugier à volonté.»

Lorsqu'elle quitta Halifax pour aller s'installer avec sa grand-mère, Maud écrivit: «Si je ne le faisais pas entièrement à contrecœur, c'est que je savais qu'à Cavendish, comme n'importe où ailleurs, j'avais accès à mon monde idéal et que, peu importe ce qui me manquait extérieurement, je pouvais tout trouver dans mon royaume intérieur.»

Pourtant, même à ces deux amis lointains qui lui étaient chers, Maud ne disait pas tout du caractère impossible de sa grand-mère. Ce n'est qu'à son journal intime qu'elle révéla, dès 1903, que sa grand-mère Macneill se montrait si impolie avec les visiteurs qu'elle-même n'osait pas inviter des amis à la maison. De toute façon, ils ne seraient sans doute pas revenus après avoir subi l'hostilité furibonde de Lucy Macneill. Lorsque Maud tenta d'aborder ce problème avec sa grand-mère, celle-ci se fâcha, bouda et nia qu'il y eût un problème. Maud renonça. Sa vie sociale s'étiola.

La vieille femme fulminait contre des offenses imaginaires et, plus elle devenait sourde, plus Maud avait du mal à justifier ses propres actions. Si Maud balayait sa chambre plus souvent que sa grand-mère balayait la sienne, la vieille femme rageait avec une rancœur enfantine. Si Lucy Macneill se couchait à neuf heures du soir, elle exigeait que Maud, qui avait pourtant trente ans, se mette au lit à la même heure. Elle lésinait sur l'huile pour les lampes et se montrait si radine pour ce qui était du charbon que, les rares après-midi où une amie de Maud se risquait à lui rendre visite, la vieille femme lui refusait la permission d'allumer un feu dans le salon.

Restait-il la moindre miette d'un gâteau dur et rassis que Lucy Macneill refusait que Maud en fasse un nouveau. Il y avait six pièces vides dans la maison, mais Maud savait, sans l'avoir jamais demandé, qu'elle n'obtiendrait jamais la permission d'en transformer une en salle de travail. Sa grand-mère refusait même d'engager quelqu'un pour effectuer les réparations courantes de la maison. Plus Maud devenait célèbre comme écrivain, plus la maison où elle vivait se détériorait, au point où elle en avait honte.

Lorsque Maud tentait d'obtenir de sa grand-mère les raisons d'un comportement injuste, celle-ci soutenait avec rage qu'elle n'avait pas agi ainsi. Mais si Maud montrait un soupçon de colère ou d'impatience, Lucy Macneill sanglotait pendant des heures. Elle avait aussi l'habitude de pleurer et de renifler en lisant des hymnes après le souper, et ses rhumatismes lui arrachaient des gémissements de douleur. Hiver après hiver, Maud appréhendait la tombée du jour et les interminables soirées en compagnie de la mère de sa mère.

▼

Pourtant, Maud éprouvait de la loyauté et du respect pour Lucy Macneill. Les autres Macneill lui avaient dit quelle mère aimante celle-ci avait été autrefois. Maud savait également que John Macneill et sa famille brisaient le cœur de la vieille femme. Prescott, le fils de John, voulait se marier et s'installer avec sa nouvelle épouse dans la maison que la veuve aimait depuis soixante ans. John cessa de rendre visite à sa mère et de lui livrer son charbon, et il encouragea Prescott à la traiter avec méchanceté.

À une certaine époque, Maud avait craint John Macneill, qu'elle voyait comme une brute colérique. À présent, elle se contentait de le détester, ce que John lui rendait bien. Maud avait le sentiment qu'aux yeux de John sa carrière d'écrivain mettait encore plus en évidence la stupidité de ses enfants à lui. Cependant, la famille de John Macneill avait une autre raison de haïr Maud. La grand-mère Macneill était trop vieille pour vivre seule, mais la présence de Maud les empêchait de la chasser de chez elle.

Maud, pendant tout ce temps, subissait la haine que lui portait la famille de son oncle, vivait pratiquement en ermite avec une vieille femme tyrannique et voyait s'envoler les dernières années de sa jeunesse sans nourrir le moindre espoir de voir ses sacrifices récompensés. Un jour, sa grand-mère mourrait, John Macneill hériterait de la ferme, et elle-même se retrouverait sans foyer. Adieu, chère petite chambre blanche, vieux domaine, ruisseau près de l'école, Chemin des amoureux, rivage aux vagues bruissantes.

Aussi malheureuse qu'elle fût durant ces années à Cavendish, Maud craignait d'être encore plus malheureuse ailleurs. Lorsqu'elle vivait à Halifax, même la certitude de retourner un jour à Cavendish n'avait pas réussi à soulager ses pires accès de nostalgie. «Et quand je devrai partir en sachant que je ne reviendrai jamais, écrivait-elle en 1903, ma douleur ne sera-t-elle pas dix fois plus terrible?» Elle se demandait alors si elle aurait le goût de continuer à vivre.

Entre-temps, une de ses grandes amies de jeunesse, Pensie Macneill, succomba à la tuberculose; son amitié avec Amanda et Lucy Macneill, deux autres camarades de longue date, tourna à l'aigre; enfin, Maud se montra plus distante envers Stella et Clara Campbell, de Park Corner. Elle se rendait à la Société littéraire pour emprunter des livres, mais elle trouvait les réunions particulièrement ennuyeuses. Elle accompagnait à l'orgue une chorale indisciplinée, mais détestait les soirs de répétition. Elle participait à l'organisation de concerts au profit des bonnes œuvres, mais les chamailleries incessantes qui opposaient les autres dames patronnesses la rendaient malade.

Comme à l'époque de sa passion pour Herman Leard, la vie de Maud était un mensonge. À Cavendish, tous la voyaient comme une petite bonne femme énergique qui prenait soin de sa grand-mère, dirigeait le bureau de poste, gagnait de l'argent avec ses «écritures», ne négligeait pas son reprisage et faisait cuire des gâteaux pour les bonnes œuvres. Mais Maud était comme un clown qui rit en surface tout en pleurant à l'intérieur.

Par temps doux, Maud se consolait en s'asseyant près de la fenêtre ouverte de sa petite chambre, en marchant dans les bois, en faisant de la photographie, en observant les étoiles et en s'occupant de son jardin. Mais lorsque les amoncellements de neige interrompaient la distribution du courrier, cachaient les fenêtres et la confinaient à l'intérieur de la sombre demeure avec sa grand-mère Macneill pour seule compagnie, Maud aurait voulu maudire son sort en hurlant. Elle se contentait de pleurer au creux de son lit, trempant son oreiller de larmes. Elle déversait souvent sa souffrance dans son journal intime, car elle savait que si elle cessait d'écrire, elle éclaterait en sanglots hystériques qui ne pourraient qu'irriter sa grand-mère.

À ces moments-là, Maud se sentait prise au piège, malade et lâche. Elle avait peur du noir et des gémissements du vent. Elle fuyait les gens et arpentait sans relâche une pièce fermée à clef. Le tic-tac d'une horloge lui était insupportable. Ses erreurs passées la tourmentaient, et elle était persuadée qu'elle serait bientôt une femme que personne ne pourrait jamais aimer. Un jour, elle demanda avec colère à son journal comment Dieu pouvait accepter qu'elle endure de pareilles souffrances. Elle espérait renaître un jour dans une vie meilleure.

Au bout de trois ou quatre jours, cependant, l'esprit de Maud émergeait du désespoir le plus sombre pour entrer dans un monde de lumière et de joie. Elle écrivit un jour à George MacMillan que, dès l'instant où elle sortait d'un accès dépressif, elle passait «à une réaction diamétralement opposée». Elle sentait «avec ravissement» que «le monde est magnifique et qu'on devrait remercier Dieu du simple fait d'exister».

Marilla dit un jour à Anne: «J'ai bien peur que vous n'ayez les larmes aussi faciles que le rire.» Ce commentaire s'appliquait également à Maud. Pourtant, malgré tous les rires et toutes les larmes que Maud connut pendant qu'elle vivait avec sa grand-mère, elle ne renonça jamais à l'écriture.

16

Un mariage longtemps différé

Le révérend Ewan MacDonald prit en charge l'église presbytérienne de Cavendish en 1903, mais ce n'est que deux ans plus tard qu'il commença à compter beaucoup pour Maud. Il venait de Bellevue, loin au-delà de Charlottetown, dans la moitié est de l'Île. Ses ancêtres, tout comme ceux de Maud, venaient des Highlands, en Écosse, et, bien qu'il fût né à l'Île-du-Prince-Édouard, MacDonald parlait avec les intonations caractéristiques du gaélique. À Cavendish, les fidèles le tenaient en haute estime; certains le trouvaient même beau. Il était de grandeur moyenne et se tenait très droit. Il avait un profil bien découpé, une épaisse chevelure noire, des yeux sombres, un teint rosé et un sourire à fossettes. En 1905, ce célibataire de trente-cinq ans était considéré comme un excellent parti. À l'époque, Maud avait trente ans. Elle s'ennuyait mortellement, se sentait très seule et craignait de ne jamais avoir d'enfants.

Ewan MacDonald prit d'abord pension dans le village voisin de Stanley, et Maud ne le voyait qu'à l'église. Pourtant, à Cavendish, la rumeur la plaçait très haut sur la liste des épouses possibles pour ce pasteur fort populaire. MacDonald lui-même avoua plus tard qu'il avait secrètement élu Maud dès qu'il avait posé le regard sur elle.

Maud, cependant, ne se contentait pas de nourrir certains doutes quant à la foi presbytérienne, mais éprouvait aussi beaucoup de répugnance à l'idée de devenir femme de pasteur. À ses yeux, l'épouse typique d'un pasteur de campagne sacrifiait sa vraie nature à la carrière de son mari et aux attentes de la congrégation et devait cacher ce qu'elle pensait vraiment. Maud avait déjà suffisamment donné en ce sens. Elle craignait un mariage qui risquerait de la condamner à jouer un rôle pour le restant de ses jours.

Comme compagnon pour Maud, MacDonald avait d'autres défauts que celui de porter un col de pasteur. Ses sermons avaient beau être solides, et MacDonald lui-même avait beau avoir fréquenté l'université, Maud le considérait comme un type maladroit et pas très intelligent. Il ne retenait pas grand-chose de ses lectures et semblait insensible aux beautés de la nature. Maud décida rapidement qu'il ne présentait aucun intérêt comme ami, et encore moins comme amoureux. Elle changea toutefois d'avis après que MacDonald eut déménagé à Cavendish en 1905.

Plus il venait à la maison des Macneill pour chercher son courrier, et plus Maud le trouvait sympathique. Plus Maud le trouvait sympathique, et plus il venait chercher son courrier. Il pouvait passer plus d'une heure en sa compagnie, et si Maud était occupée par ses tâches de maîtresse de poste, il se morfondait tout seul sur le banc installé dehors. Les voisins ne rataient rien de ce manège, évidemment.

MacDonald plaisait de plus en plus à Maud, qui décida que ce qu'elle avait pris pour un manque de profondeur n'était en fait que de la timidité et que la maladresse de MacDonald à manier les mots n'était pas le signe d'un manque d'idées ou de sentiments. Ensemble, ils parlaient de philosophie et de religion. Maud commença à attendre les visites du pasteur avec impatience et, lorsque celui-ci s'absentait de Cavendish, elle se sentait très seule. MacDonald n'agissait pas en amoureux transi, mais Maud savait sans l'ombre d'un doute qu'il lui proposerait un jour de l'épouser. Pendant plus d'un an, elle se demanda ce qu'elle répondrait ce jour-là.

Ewan MacDonald n'avait rien du héros qu'elle aurait rêvé d'épouser au cœur d'une forêt. Dans un monde idéal, confiat-elle à son journal la nuit de Noël 1905, elle aurait aimé se marier en juin, au lever du soleil:

> Je me lèverais tôt et je m'habillerais – je m'habillerais pour celui que j'aime le plus au monde et pour personne d'autre, me faisant aussi belle que possible afin de réjouir ses yeux; puis, dans le silence de l'aube – ce silence chargé de promesses –, je descendrais rejoindre mon bien-aimé, à l'insu de tous, et ensemble nous nous enfoncerions au cœur d'une immense forêt, avançant sous la voûte des arbres comme dans l'allée centrale d'une vaste cathédrale, et la brise matinale soufflerait un chant nuptial. Là, nous nous jurerions un amour éternel. Puis nous retournerions, main dans la main, dans le monde affairé qui serait glorifié à jamais grâce à nos vies liées l'une à l'autre!

En 1906, lorsque Ewan décida d'aller étudier en Écosse, Maud prit brusquement conscience de l'importance qu'il revêtait maintenant pour elle. Elle le respectait et avait besoin de lui. Avant de partir, Ewan lui demanda de l'épouser. Maud savait que jamais elle n'aimerait Ewan comme elle avait aimé Herman, mais elle avait alors tout près de trente-deux ans. Le pasteur lui offrait une vie qui lui procurerait un certain bonheur, lui éviterait la solitude et lui donnerait peut-être un enfant ou deux. Oui, répondit donc Maud. S'il acceptait d'attendre qu'elle soit libérée de ses obligations envers sa grand-mère Macneill, elle serait sa femme. Ewan accepta d'attendre.

▼

Tous les écrivains doivent apprendre à concilier les exigences de leur vocation et celles du quotidien. Que ce soit avant, pendant ou après l'époque où vivait Maud, ce défi a toujours été plus difficile à relever pour les femmes que pour les hommes, mais, dans le cas de Maud, ce fut particulièrement éprouvant, quels que soient les critères considérés.

Maud cuisinait, nettoyait, cousait, lavait la vaisselle et frottait les planchers. L'été, elle jouait le rôle d'hôtelière non payée pour la parenté qui venait passer ses vacances à Cavendish. De plus, ses responsabilités au bureau de poste augmentaient à mesure que sa grand-mère vieillissait. À l'église, elle jouait de l'orgue, dirigeait la chorale, enseignait le catéchisme à l'école du dimanche. Elle était membre de l'Institut féminin de Cavendish et de la Société littéraire. Chez elle, elle devait non seulement s'occuper du ménage et de sa grand-mère, mais aussi faire face à ses propres changements d'humeur, souvent très brusques.

Pourtant, Maud arrivait à mettre ces choses de côté suffisamment longtemps pour produire un nombre incroyable de textes. «Aucun talent ne rouille aussi rapidement que ceux qui touchent à l'expression», rappelait-elle un jour à Ephraim Weber. «Alors, *au travail, tout de suite, et persistez*; écrivez quelque chose *chaque jour*, même si vous devez ensuite brûler ce que vous venez d'écrire.» Les lettres qu'elle envoyait à Weber et à MacMillan comptait souvent jusqu'à cinq mille mots. Et, en même temps qu'elle remplissait les carnets de son journal intime de descriptions enflammées de ses humeurs les plus noires, elle inondait les magazines de poèmes inspirés, d'amusants contes pour enfants et de romantiques histoires d'amour pour un public féminin.

Elle n'avait pourtant ni lumière électrique, ni machine à écrire électrique, ni ordinateur; parfois, elle ne disposait même pas d'une pièce bien chauffée. Bref, elle ne possédait aucune des commodités techniques sans lesquelles les écrivains modernes n'imagineraient même pas pouvoir écrire.

Durant sa jeunesse, Maud n'avait jamais vu de machine à écrire, ni même de plume munie d'un réservoir d'encre. Les enfants faisaient leurs devoirs sur des ardoises, des petits tableaux noirs individuels. Pour écrire des lettres ou passer des examens, les gens fixaient des pointes de métal à des manches en bois et passaient leur temps à tremper leurs plumes dans des encriers. Les pointes lâchant parfois des pâtés d'encre sur le papier, ceux qui écrivaient gardaient des buvards à portée de la main afin de conserver leur copie le plus propre possible.

Pour ses tout premiers textes, Maud utilisa sans doute autant des crayons à mine de plomb que des plumes et de l'encre. Quand elle commença à soumettre ses écrits à des éditeurs, elle copia sans doute chacun de ses textes plusieurs fois en s'efforçant de les garder le plus propre possible. À Belmont, lorsqu'elle était cette jeune institutrice qui se levait tous les matins à six heures pour écrire et qui devait s'asseoir sur ses pieds pour les garder au chaud dans la petite chambre glaciale qu'elle habitait chez les Fraser, elle écrivait encore avec une plume et de l'encre.

Au milieu de la vingtaine, Maud acheta une machine à écrire d'occasion délabrée, mais elle *écrivait* encore à la main. Sa machine à écrire lui servait uniquement à copier ce qu'elle avait déjà écrit, afin de répondre aux exigences de propreté et de clarté des éditeurs. Avant le lever du jour, ou après la tombée de la nuit, elle écrivait à la lueur vacillante des chandelles et des lampes à huile.

Au début des années 1900, lorsqu'elle écrivait *Anne... La Maison aux pignons verts*, Maud ne dormait que cinq ou six heures par nuit, de façon à consacrer deux heures par jour à écrire son texte à la main, et une troisième à le copier sur sa machine à écrire. Toute la journée, elle «écrivait» dans sa tête. Pendant que ses mains s'activaient à frotter des casseroles ou à nettoyer des vitres, sa tête élaborait des intrigues et des conversations.

▼

Maud eût-elle été dans l'armée, la discipline qu'elle s'imposait aurait sans doute impressionné l'officier le plus exigeant. Pourtant, derrière cette discipline, il y avait plus qu'une volonté de fer. Pour Maud, l'écriture était un refuge contre l'ennui et la peur. Le simple fait d'écrire lui remontait le moral. Écrire, confia-t-elle à Weber, était «la meilleure méthode de culture de l'âme». Elle qui n'aimait pas grand-chose, au cours de ces années sombres, aimait écrire. L'écriture lui permettait de préserver son équilibre mental et lui conférait une indépendance singulière parmi les femmes de Cavendish. En outre, plus sa carrière était lucrative, plus Maud avait le sentiment de clouer le bec à tous les Macneill qui s'étaient déjà moqués de ses ambitions littéraires. Cela n'était pas pour lui déplaire.

Maud avait longtemps supporté le mépris de son entourage et des gens du village face à ses ambitions. Si ses grands-parents Macneill avaient montré le moindre signe de compréhension ou d'encouragement, elle n'aurait pas caché ses premiers griffonnages sous un canapé. Elle connaissait suffisamment ces vieillards pour craindre d'être ridiculisée. «Je trouve que cette histoire de conteuses est la plus insensée que j'ai entendue jusqu'ici», dit Marilla à Anne. «Vous allez vous semer des tas d'idées idiotes dans la tête et perdre un temps précieux que vous pourriez consacrer à vos leçons. Lire des histoires, c'est déjà répréhensible, mais en écrire, c'est encore pis.»

En s'évertuant à devenir écrivain, cependant, Maud devait affronter des obstacles encore plus formidables que ses grands-parents. De nos jours, une femme qui écrit de la fiction est bien acceptée et même admirée. Cependant, dans cette fin d'époque victorienne dominée par les hommes, et au cœur d'une île peuplée de fermiers vivant aux confins de l'Empire britannique, une femme qui faisait sa marque comme écrivain était aussi improbable qu'une tempête de neige en plein mois de juillet.

Partout dans le monde, les hommes croyaient que les femmes, tout en possédant des qualités utiles dans certains domaines, ne pourraient jamais être aussi intelligentes que les hommes. Nombre de femmes partageaient cette opinion. Or, pour écrire des livres, il fallait de l'intelligence. Aussi, malgré la réputation de quelques romancières anglaises, les préventions contre les écrivains de sexe féminin étaient si fortes que certaines femmes – même parmi les meilleures – se cachaient derrière des noms de plume masculins.

Dans l'Île – une île isolée la majeure partie de l'hiver, réfractaire aux idées nouvelles comme aux étrangers et fort éloignée des grandes villes où soufflait le vent du changement –, une fille qui annonçait son ambition de devenir un écrivain célèbre risquait fort de passer pour une petite écervelée se donnant de grands airs. Si elle persistait dans ses projets, tout le monde attendait qu'elle se casse la figure. Maud, en tant qu'aspirant écrivain, était aussi seule que l'épouvantail dressé dans le potager de John Macneill.

▼

Dans son travail, Maud était pratique, minutieuse et merveilleusement organisée. Elle avait confié à MacMillan qu'elle ne serait jamais un grand écrivain et qu'elle souhaitait seulement être reconnue comme «une travailleuse honnête» dans la profession qu'elle avait choisie. À cette époque, elle était déjà une travailleuse honnête. Elle qui ne comptait pas moins de soixante-dix périodiques britanniques, américains et canadiens dans sa liste d'acheteurs potentiels pour ses textes, trouvait fort long le simple fait d'écrire les adresses sur les enveloppes. Lorsqu'un magazine refusait une histoire, elle insérait aussitôt celle-ci dans une nouvelle enveloppe et l'envoyait à un autre magazine – une stratégie qui donna souvent des résultats étonnants... et lucratifs.

Maud se vit un jour refuser une histoire par un magazine qui lui donnait généralement dix dollars par texte. Elle tenta alors sa chance auprès d'un autre magazine, qui, lui, offrait trente dollars. Lorsque ce deuxième magazine refusa à son tour cette histoire, elle l'envoya à *Everybody's*, un magazine new-yorkais qui comptait parmi les magazines d'intérêt général les plus importants d'Amérique du Nord. Non seulement son histoire fut-elle publiée dans *Everybody's*, mais Maud, stupéfaite, en obtint le montant le plus élevé qu'elle eût jamais reçu: cent dollars.

Maud écrivait pour n'importe quel magazine disposé à lui offrir à peu près n'importe quoi. Même après avoir obtenu quatre-vingts dollars de *American Homes* pour un feuilleton qu'elle qualifiait elle-même de «camelote à sensation», soixante dollars de *McClure's* pour une «histoire à l'eau de rose» et quarante dollars de *Associated Sunday Magazines* pour une nouvelle intitulée «Les lettres d'amour du maître d'école», elle était encore heureuse de ne recevoir qu'un maigre neuf dollars du *Churchman* de New York pour une histoire de deux mille mots destinée aux enfants, ou six dollars du *Sunday School Times* pour un poème. Contrairement à beaucoup d'écrivains, Maud jugeait ses propres textes à leur juste valeur. Comme *East and West*, un magazine de Toronto, ne lui offrait que cinq dollars par histoire, elle n'envoyait là que ses textes «de qualité inférieure».

Elle adaptait son travail pour plaire à différents rédacteurs en chef. À neuf ans, après avoir entendu son père critiquer son premier poème parce qu'il ne rimait pas, elle avait décidé que si le monde voulait des rimes, elle écrirait des rimes. À présent, vingt ans plus tard, elle répondait aux désirs des rédacteurs friands de poésie avec des poèmes qu'elle avouait «écrire de façon très mécanique et sans aucune émotion, à l'aide d'un petit dictionnaire de rimes que je me suis fabriqué moi-même».

Le magazine *East and West* lui envoyait des illustrations en lui demandant d'écrire des histoires pour les accompagner. Elle détestait ce genre de commandes, mais les acceptait quand même. Elle préférait écrire des histoires pour enfants «sans morale insidieuse cachée dans le texte comme une pilule dans une cuillerée de confiture». Les responsables des journaux, cependant, exigeaient que les textes de fiction destinés aux enfants leur apprennent à être de gentils petits garçons et de gentilles petites filles. Pour vendre ses histoires, Maud devait souvent cacher des pilules dans sa confiture.

Son professionnalisme, sa discipline et son talent commençaient lentement à porter fruit. Dès 1900, un journal de Charlottetown provoqua sa colère en l'appelant «Lucy Maud Montgomery» – elle préférait de beaucoup «L. M. Montgomery» –, mais le journal indiquait aussi qu'elle était «l'écrivain le plus important de la jeune génération» de l'Île-du-Prince-Édouard.

En 1903, des magazines américains sollicitaient ses histoires et la désignaient comme «une collaboratrice bien connue et appréciée». Cette année-là, pour la première fois, son écriture lui rapporta cinq cents dollars. En 1904, elle gagna six cents dollars, et en 1906, tout près de huit cents dollars, soit plus de trois fois ce qu'elle aurait gagné comme institutrice. À trente-deux ans, elle était devenue l'un des premiers écrivains indépendants du Canada à vivre de sa plume.

Maud gardait la tête suffisamment froide pour savoir que certains de ses textes ne valaient pas grand-chose. Pendant qu'elle tentait d'écrire un feuilleton de dix-huit mille mots pour *American Homes*, elle avoua ce qui suit à MacMillan: «C'est une histoire à sensation, écrite pour plaire au journal qui me l'a commandée. Je n'aime pas tellement écrire ce genre de chose, mais on m'en donne un bon prix. C'est une histoire de rubis perdu, dans laquelle j'ai aussi inclus un fou, un jeune imbécile, une tourelle mystérieuse et plein de trucs classiques comme ceux-là.» Les critiques modernes condamnent les textes que Maud écrivait pour les magazines en disant qu'ils sont superficiels et absurdement romantiques, mais il ne faut pas oublier qu'elle écrivait pour les femmes et les enfants d'il y a près de cent ans. Elle savait ce qu'ils voulaient, et elle livrait la marchandise.

Les histoires qu'elle avait publiées jusque-là, cependant, n'étaient pas l'œuvre d'une femme qui a trouvé sa voix personnelle comme écrivain. De plus, en 1906, le public attendait encore le premier livre de Maud. *Anne... La Maison aux pignons verts* était sur le point de régler ces deux problèmes.

17

Bonjour, *Anne*

Pendant qu'elle faisait le ménage, prenait soin de sa grand-mère, dirigeait le bureau de poste, écrivait selon l'horaire strict qu'elle s'était fixé et menait une vie où l'amitié n'avait pas sa place, Maud se replongeait dans son passé. Naviguant parmi ses souvenirs, elle trouvait autant de bonheur que de tristesse. Elle trouva également les éléments constitutifs d'*Anne*... *La Maison aux pignons verts*.

Elle avait depuis longtemps l'habitude de se remémorer l'époque où elle était petite et rêveuse. Un jour gris de septembre où elle enseignait à Bideford, Maud avait déjà décidé que la plus belle période de sa vie était révolue. Elle avait dix-neuf ans. Au printemps 1898, de retour à Cavendish après son aventure avec Herman Leard, elle écrivait: «Il m'arrive de me demander si la femme pâle et triste que j'aperçois dans la glace est réellement la petite fille joyeuse d'autrefois.» Cette petite fille joyeuse était chaleureuse et aimante, et elle avait «un petit cœur ardent». Où était-elle passée? Pourquoi la jeune femme ne pouvait-elle pas retrouver la petite fille?

Maud utilisait de nombreux moyens pour retrouver son passé. Elle lisait et relisait sans se lasser son journal intime de ces années-là, déterrait des poèmes écrits à l'école, relisait les livres qu'elle avait aimés dans son enfance. Elle rêvait en solitaire sur le Chemin des amoureux et pleurait sur les lettres poussiéreuses de Will Pritchard, son prétendant de Prince Albert maintenant décédé.

Elle caressait aussi les souvenirs qu'elle conservait dans un cahier de découpures: une boucle de chaussure qu'une institutrice lui avait offerte, le programme du premier opéra auquel elle avait assisté, un éclat de bois qu'elle avait arraché à un pupitre du Prince of Wales College, la rose de laine qu'elle avait détachée du coussin d'un canapé le soir où, à Park Corner, Lem McLeod lui avait demandé de l'épouser, et même des touffes de fourrure prises après leur mort aux huit chats qu'elle avait aimés.

Maud ne conservait pas seulement des tas d'objets chargés de souvenirs, mais également des idées d'intrigues et de personnages. «Quand je trouve une idée pour une histoire ou un poème – ou plutôt quand une telle idée me trouve, ce qui me semble une façon plus exacte de présenter les choses –, je la note aussitôt dans mon carnet, écrivit-elle un jour à Ephraim Weber. Et puis, des semaines, des mois, parfois même des *années* après, si je cherche une idée pour un texte, je prends mon carnet et choisis un sujet qui convient à mon humeur ou au magazine qui me sollicite.»

C'est précisément ce qu'elle fit un jour du printemps 1905. L'hiver était fini, la maison était chaude, Maud elle-même était d'humeur légère. Pour la première fois depuis décembre, elle se sentit renaître dans le Chemin des amoureux, et elle retrouva avec bonheur l'intimité et la liberté de sa chambre préférée, à l'étage. En feuilletant son carnet, elle trouva une idée qu'elle avait notée des années auparavant, après qu'une voisine eut adopté une petite orpheline: «Un couple vieillissant s'adresse à un orphelinat pour qu'on leur envoie un garçon. Par erreur, c'est une fille qui arrive chez eux.» *Anne... La Maison aux pignons verts* commença à mijoter dans l'esprit de Maud.

Maud avait consulté son carnet afin de trouver une idée pour un feuilleton qu'elle rédigeait pour un journal destiné aux enfants de l'école du dimanche. À présent qu'elle avait cette petite orpheline en tête, elle se mit à inventer des incidents, à planifier des chapitres, à créer le personnage d'Anne Shirley. «Quand elle me vint à l'esprit, Anne possédait déjà son nom, jusqu'à ce "e" final qu'elle jugeait si important.» La petite héroïne «me sembla bientôt très réelle, et elle m'envahit de façon particulièrement prenante.» Anne ne méritait-elle pas mieux qu'une feuille de chou d'école du dimanche?

Maud voulait depuis toujours écrire un roman, mais, pour elle qui détestait écrire le premier paragraphe ne fût-ce que d'une nouvelle, l'idée de commencer un roman était terrifiante. De plus, elle avait besoin d'argent et ne pouvait donc pas laisser tomber ses projets d'écriture plus lucratifs. Où trouverait-elle le temps de donner à Anne l'espace dont elle avait besoin? Pourtant, écrivit Maud par la suite, Anne «m'attirait, et j'aurais trouvé honteux de la confiner à un petit feuilleton sans avenir». Elle trouverait le temps nécessaire, voilà tout.

▼

À cette époque, tout le monde à Cavendish savait déjà que Maud écrivait, mais, pour son premier roman, elle reprit l'habitude d'écrire en secret, comme quand elle était enfant. Si elle échouait, personne ne le saurait, et elle ne s'exposerait pas aux rires et aux sarcasmes. Maud commença *Anne* vers la fin du printemps, par un soir de pluie chargé d'odeurs. Afin de profiter des dernières lueurs du jour, elle s'assit sur le bout de la table de la cuisine, devant une fenêtre donnant vers l'ouest, les pieds posés sur un canapé.

Pour une fois, elle trouva facile d'écrire les premiers mots: «Madame Rachel Lynde habitait à l'endroit précis où la grand-route d'Avonlea plongeait brusquement dans le creux d'un vallon bordé d'aunes et de fuchsias et traversé d'un ruisseau qui prenait sa source dans le bois, en arrière de la vieille maison Cuthbert [...].» Les premières phrases coulèrent naturellement. Maud n'écrivait pas dans un style artificiel pour plaire aux éditeurs, mais dans son style à elle, pour son propre plaisir.

Écrivant le soir après avoir complété ses tâches plus ennuyeuses, Maud termina *Anne... La Maison aux pignons verts* en quelques mois seulement. Elle donna par la suite deux évaluations différentes des dates entre lesquelles elle écrivit *Anne*, mais, peu importe les dates précises, il est certain qu'elle rédigea ce roman rapidement. «J'ai fait ce livre avec un pur bonheur, écrivit-elle dans son journal en 1907. Jamais je n'avais écrit quoi que ce soit avec autant de plaisir. J'ai envoyé valsé la "morale" et les principes d'école du dimanche, et j'ai fait d'"Anne" une véritable petite fille.»

Elle dactylographia le manuscrit, qu'elle avait d'abord écrit à la main, et, au cours de l'hiver 1906, le soumit à cinq éditeurs américains qui, tous, le refusèrent. Après le cinquième refus, Maud décida qu'elle réduirait un jour son histoire à sept chapitres, qu'elle enverrait ensuite au journal de l'école du dimanche. De cette façon, elle obtiendrait au moins trente-cinq dollars pour sa peine. Entre-temps, elle plaça le manuscrit dans un carton à chapeau, rangea celui-ci dans un placard et n'y pensa plus.

Un an plus tard, en farfouillant dans le placard, elle tomba sur le carton à chapeau et feuilleta une fois de plus sa première histoire assez longue pour constituer un roman. *Ce n'est pas si mauvais*, songea-t-elle. Peut-être les éditeurs s'étaient-ils trompés. Son entêtement à envoyer à de nouveaux magazines les textes refusés par d'autres avait souvent porté fruit dans le passé. Pourquoi ne pas tenter de nouveau sa chance avec *Anne*?

À l'hiver 1907, Maud épousseta son manuscrit et l'envoya chez L. C. Page Co., une maison d'édition de Boston qui publiait les œuvres d'importants poètes canadiens. Au bout de deux mois d'attente fébrile, elle reçut la plus belle réponse de sa vie. L. C. Page voulait publier le livre, s'engageait à verser à Maud dix pour cent du prix de chaque exemplaire vendu et lui demandait de commencer à travailler sur ce qui allait devenir *Anne d'Avonlea*.

Le printemps était souvent favorable à Maud. Au printemps 1890, elle apprenait qu'elle irait vivre à Prince Albert avec son père, et au printemps 1891, qu'elle reviendrait dans son île bien-aimée. Au printemps 1894, elle obtenait, outre d'excellents résultats au Prince of Wales College, son brevet d'enseignement.

Au printemps 1895, elle terminait sa première année d'enseignement, qui fut aussi la plus heureuse, et apprenait qu'elle pourrait étudier à l'université Dalhousie.

Aucun de ces printemps, toutefois, ne fut aussi excitant que celui de 1907.

Le soir du 2 mai, Maud écrivit à Ephraim Weber: «Il faut que je vous annonce ma *grande nouvelle* tout de suite... Je suis effrontément fière et heureuse, et je n'essaierai même pas de le cacher.» Elle lui apprenait ensuite qu'elle avait écrit un livre et trouvé un éditeur. Dans son journal, elle écrivit: «Le rêve que j'ai conçu il y a tant d'années, alors que je n'étais qu'une petite écolière assise à son vieux pupitre brun, est enfin devenu réalité après des années de lutte et de dur labeur. Et la réalité est presque aussi belle que le rêve.»

Un an plus tard, au printemps, bien sûr, Maud écrivit: «J'ai vécu aujourd'hui "un moment mémorable", comme dirait Anne. Mon livre est arrivé aujourd'hui, tout frais sorti de chez l'imprimeur. J'avoue franchement que ce fut pour moi un moment de bonheur et de fierté absolument fabuleux. Là, dans ma main, se trouvait la réalisation matérielle de tous les rêves, espoirs, ambitions et luttes de mon existence consciente – mon premier livre. Pas un grand livre, mais mon livre à moi, à moi, à moi, quelque chose que j'ai créé toute seule.» Maud avait près de trente-trois ans, mais la vie d'*Anne* venait tout juste de commencer.

18

Anne Shirley... ou Maud ?

Dans *Anne... La Maison aux pignons verts*, l'austère Marilla Cuthbert et son frère Matthew, un gentil célibataire de soixante ans, demandent à un orphelinat de leur envoyer un jeune garçon pour aider aux travaux de leur ferme coquette d'Avonlea. Mais, quand Matthew se rend à la gare de Bright River pour accueillir l'orphelin, il découvre qu'une erreur s'est produite. Ce n'est pas un garçon qui l'attend, tout seul sur le quai de la gare, mais une étrange fillette.

Elle a onze ans, et elle est très maigre, avec de petites mains minces et un visage semé de taches de rousseur. Elle a le front haut et le menton pointu. Sa bouche «aux lèvres pulpeuses», ainsi que ses yeux gris et brillants qui peuvent parfois sembler verts, est des plus expressives. D'épaisses tresses rousses s'allongent dans son dos.

Anne Shirley est aussi un véritable moulin à paroles. Matthew est d'une timidité telle qu'il en est presque muet, et il n'a pas le cœur d'annoncer à cette fillette qu'il ne peut pas la garder, pour la seule raison qu'elle n'est pas un garçon. Il laisse à sa sœur Marilla, qui est le bon sens personnifié, la tâche d'annoncer cette mauvaise nouvelle. Tout au long des huit milles qui séparent Bright River d'Avonlea, Anne, assise à côté de Matthew dans le boghei, n'arrête pas de poser des questions et d'émettre des réflexions aussi joyeuses qu'étranges.

C'est le printemps.

Anne connaît le premier de ses nombreux moments d'angoisse chez les Cuthbert lorsqu'elle découvre que Marilla veut la renvoyer à l'orphelinat parce qu'elle n'est pas du bon sexe. À la fin, toutefois, Matthew, qu'Anne considère comme une «âme sœur», arrive à ses fins, et Anne peut rester dans la chambre du pignon est de «la grande maison où vivaient les Cuthbert, pleine de coins et de recoins, abritée par des vergers».

La suite de l'histoire raconte les aventures d'Anne à Avonlea jusqu'à l'âge de seize ans et demi. C'est une histoire d'humiliations, d'erreurs, de triomphes, de rivalités, de rancœurs, d'amitiés et de rêves. C'est aussi l'histoire de la transformation d'un vilain petit canard en un jeune cygne gracieux, loyal et heureux, et de la façon dont une étrangère devient un membre essentiel de la famille, apporte du bonheur à ses tuteurs et fait honneur à son village.

Maud admettait que, jusqu'à un certain point, Avonlea était Cavendish.

Dans *Anne*, Willowmere, le petit lac aux saules pleureurs, le Vallon des violettes et la Source des fées sont purement imaginaires. Par contre, le Chemin des amoureux, le vieux pont de bois, la Forêt hantée et la route de la côte sortaient tout droit de l'enfance de Maud à Cavendish. Le ruisseau d'Anne était celui de Maud, et le Chemin blanc des délices rappelait un bout de route réel où des hêtres, plantés de part et d'autre, se rejoignaient au-dessus des têtes pour former une arche. Maud utilisa la maison de Pierce Macneill, dans la vraie vie, comme modèle pour la maison de la fictive Rachel Lynde, et elle se servit du domaine de 130 acres de ses cousins David et Margaret Macneill pour imaginer le domaine des Cuthbert.

Le Lac-aux-Miroirs s'inspirait d'une mare située près de la maison de John Campbell, à Park Corner, mais la colline d'où Anne l'aperçoit pour la première fois était plutôt Laird's Hill, à Cavendish. Bright River était en fait la ville de Hunter River, et White Sands, celle de Rustico. L'école d'Avonlea était identique à celle de Cavendish, et les souvenirs que Maud gardait de la Société littéraire de Cavendish lui fournit le matériel nécessaire pour décrire un spectacle présenté à la salle des fêtes d'Avonlea.

▼

Pendant qu'elle menait une vie malheureuse auprès de sa grand-mère, Maud se remémorait des événements lointains de son enfance afin de trouver non seulement des lieux mais aussi des incidents à insérer dans *Anne*. Anne et Diana Barry se jurent une amitié éternelle, tout comme l'avaient fait Maud et Amanda Macneill. Le Club des conteuses d'Anne rappelle le Club des conteuses de Maud. Le pique-nique de fleurs de mai qu'Anne aime tant ressemble étrangement aux piques-niques qu'organisait Hattie Gordon, l'institutrice de Maud, et que celle-ci aimait beaucoup.

Lorsque l'instituteur Teddy Phillips fait ses adieux à ses élèves d'Avonlea, son discours reprend en grande partie celui que la jeune Maud avait entendu des lèvres de son instituteur de Cavendish, James McLeod. Le supplice que vit Anne en passant l'examen d'entrée pour Queen's et en en attendant les résultats est en tout point semblable à celui que vivait Maud par rapport au Prince of Wales College.

L'un des épisodes les plus pénibles de la vie d'Anne se produit lorsque Mme Allan, l'épouse du nouveau pasteur, mange un morceau de gâteau fourré que la fillette a confectionné spécialement pour cette occasion. Par erreur, Anne a utilisé du liniment plutôt que de la vanille, et son gâteau est immangeable. Une fois de plus, Maud s'est inspirée d'un événement de la vie réelle pour créer cet épisode. À l'époque où elle enseignait à Bideford, sa logeuse avait servi au pasteur un gâteau aromatisé au liniment.

Alors que Maud expliquait volontiers les liens qui existaient entre les lieux et les événements de la vraie vie et ceux de la vie d'Anne Shirley, elle n'aimait pas que l'on suggère qu'elle s'inspirait de personnes réelles pour créer ses personnages:

Jamais, depuis toutes ces années où j'étudie la nature humaine, je n'ai rencontré un seul être humain qui pourrait être mis tout entier dans un livre sans nuire à celui-ci.

N'importe quel artiste sait qu'en peignant exactement ce qu'il voit, il ne peut que donner une fausse impression [...]. Il doit s'inspirer de ce qu'il voit, prenant les têtes et les bras qui lui conviennent ici et là, s'appropriant des morceaux de personnages, des particularités physiques ou mentales, utilisant le réel pour parfaire l'idéal. Mais l'idéal, son idéal, doit se trouver derrière et au-delà de tout cela. L'écrivain doit créer ses personnages.

Tous les personnages de Maud étaient des «mélanges» de différents individus, mais la plus grande partie – et de loin – du mélange «Anne» était Maud enfant, telle que se la rappelait Maud devenue adulte.

▼

Quand *Anne* prit le monde par surprise, aucun des lecteurs n'aurait pu savoir à quel point Maud avait mis de sa propre enfance dans sa rousse et crâne héroïne.

Un an avant la parution du livre, Maud écrivait: «Je ne voudrais pour rien au monde être une autre que moi-même – pas même une autre meilleure ou plus noble.» Anne, quant à elle, tient les propos suivants: «Eh bien, moi, je ne souhaite qu'être moi-même, et je me passerai du réconfort des diamants s'il le faut [...]. Je m'estime tout à fait satisfaite d'être Anne de Green Gables, avec son rang de perles.»

La jeune Maud, tout comme Anne, avait le menton pointu, le teint pâle, des taches de rousseur, un corps frêle et des yeux qui s'assombrissaient parfois. Comme Anne, elle dessinait des arcs-en-ciel dans le ruisseau de l'école à l'aide de petites branches humectées de résine, elle croyait que les diamants ressemblaient à des améthystes violettes, elle avait baptisé un géranium du nom de «Bonny» et elle aimait les jolis vêtements.

Le désir d'Anne pour des manches bouffantes correspondait au désir de Maud pour une frange.

«La manie qu'a Anne de donner des noms aux lieux est aussi une de mes habitudes, écrivit Maud un jour. Je donnais des noms à tous les jolis coins de la vieille ferme. Je me souviens encore du "Pays des fées", du "Pays des rêves", du "Palais des saules", du "Lieu de nulle part", du "Boudoir de la reine" et de nombreux autres coins.»

Maud et Anne croyaient toutes deux que les lits ne servaient pas qu'à dormir mais aussi à rêver. Chacune conversait avec des personnages imaginaires dans des mondes imaginaires, gardait pour elle-même ses pensées les plus précieuses et détestait qu'on se moque d'elle lorsqu'elle employait de grands mots. Chacune avait des yeux que ravissait la beauté et croyait fermement qu'une mare souriait, qu'un ruisseau riait, que les arbres parlaient et que les fleurs avaient une âme. Chacune craignait les fantomatiques «choses blanches» tapies dans la forêt. Chacune aimait les livres qui la faisaient pleurer et écrivait des histoires pleines de princesses, de meurtres et de noyades.

Chacune nourrissait des rancunes et de grandes ambitions, faisait concurrence à un garçon pour être à la tête de sa classe et rédigeait les meilleures compositions de l'école. Alors qu'Anne disait à Diana: «Il y a en moi beaucoup d'Annes différentes», Maud confiait à une amie: «Il y a une bonne centaine de "moi" [...] Certains d'entre eux sont bons, d'autres non.» De plus, Maud aurait fort bien pu parler d'elle-même lorsqu'elle disait d'Anne: «"Tout feu tout flammes" comme elle l'était, les plaisirs et les chagrins de l'existence l'atteignaient avec une intensité exacerbée.»

Enfin, lorsque Anne quitta Avonlea, elle connut les tourments de la nostalgie et du mal du pays, comme Maud elle-même chaque fois qu'elle s'éloignait de Cavendish. Chacune des deux jeunes filles désirait très fort un foyer rempli d'amour. La différence entre les deux, c'est qu'Anne trouva ce foyer; Maud l'avait construit pour elle.

▼

Maud offrit à Anne une vie bien meilleure que celle qu'elle-même connaissait. Contrairement à elle, Anne se sentait rarement seule ou, une fois qu'elle fut installée à Avonlea, non désirée. Contrairement au grand-père Macneill, Matthew est doux, compréhensif et aimant. Contrairement au père de Maud, tellement intimidé par sa belle-famille qu'il n'osait même pas les défier pour permettre à sa fille de porter une frange, Matthew prend le risque de provoquer la colère de sa sœur en offrant à Anne sa première robe élégante, parfaite jusque dans les manches bouffantes dont Anne avait tellement envie.

Anne peut compter sur Matthew pour prendre soin d'elle et, lorsqu'elle obtient une bourse, il lui dit ceci: «Qui a gagné la bourse Avery, à ton avis? Un garçon? Non, ma fille, dont je suis si fier.» Nous sommes loin du grand-père Macneill.

Marilla peut ressembler à la grand-mère Macneill, mais au début seulement. «Elle avait l'allure d'une femme de peu d'expérience, aux idées rigides, ce qu'elle était.» Elle se méfie du soleil et des idées romantiques. Anne, pourtant, réussit à la transformer en une femme qui se découvre une plus grande capacité d'amour qu'elle ne l'aurait imaginé. Avec le temps, Marilla permet même à Anne de participer à des séances de patin et autres parties de plaisir, et elle achète du tissu pour lui confectionner une robe du soir verte.

En apercevant Anne dans cette robe, Marilla se met à pleurer. «Et je souhaiterais que tu sois restée une petite fille, explique-t-elle, même si tu te comportais de bien étrange façon. À présent, tu as grandi, tu vas t'en aller [...] et je me sens toute seule, tout à coup, en pensant à ça.» Anne court alors vers elle, «et tout ce qu'elle [Marilla] put faire, ce fut de serrer sa fille dans ses bras, aussi fort que possible, en regrettant amèrement qu'elle parte».

Maud Montgomery, qui ne se sentit jamais vraiment acceptée par les Macneill, fit en sorte qu'Anne Shirley se sente parfaitement acceptée par les Cuthbert. «Je t'aime aussi profondément que si tu étais ma propre fille, la chair de ma chair», finit par dire Marilla, «et, depuis que tu es arrivée à Green Gables, tu as été toute ma joie et mon réconfort.» Auprès des Cuthbert, Anne trouve les parents que Maud n'eut jamais et dont elle déplora l'absence toute sa vie. Maud dédia *Anne... La Maison aux pignons verts* à ses parents décédés.

▼

Quand Anne s'attire des ennuis en criant des insultes à Mme Rachel Lynde, la voisine des Cuthbert, elle réussit à transformer la corvée des excuses en moment de pur plaisir. Après que Marilla eut blâmé Anne pour la disparition d'une broche en améthystes, la fillette est finalement innocentée et connaît «des moments absolument épatants» au cours de son premier pique-nique. Lorsque Anne offre du vin par erreur à son amie Diana Barry, la mère de cette dernière interdit aux filles de se revoir, mais, par la suite, Anne sauve la vie de la petite sœur de Diana et devient une héroïne. Tout est pardonné. Anne et Diana se retrouvent avec beaucoup de bonheur.

Ainsi se déroule le livre. Anne transforme le moindre désastre en triomphe, et même ses cheveux, dont elle déteste la couleur rousse, finissent par prendre une jolie teinte auburn. Elle excelle autant sur une scène ou à l'école qu'en amitié ou dans son rôle de loyale fille adoptive. Matthew finit par mourir, mais il meurt en paix et, grâce à Anne, probablement heureux. Marilla craint de devoir vendre le domaine de Green Gables, mais Anne décide de renoncer à sa bourse, d'accepter le poste d'institutrice à Avonlea et de sauver le domaine. Elle transforme même sa vieille rancune envers Gilbert Blythe en une tendre amitié qui semble être un prélude à une histoire d'amour. À la fin du livre, Anne, à sa fenêtre, prête l'oreille à la brise qui chuchote dans les cerisiers, regarde les étoiles qui brillent au-dessus des sapins et murmure: «Dieu veille sur l'autre monde, et tout est bien dans celui-ci.»

19

Après *Anne*

Le 9 mars 1911, trois ans après la publication d'*Anne... La Maison aux pignons verts*, Lucy Woolner Macneill, âgée de quatre-vingt-six ans, succomba à une pneumonie. Consciente qu'elle ne pourrait pas continuer à vivre au domaine familial, Maud, accompagnée de son chat Daffy, alla s'installer chez les Campbell de Park Corner. C'est là que, le 5 juillet, à midi, elle épousa Ewan MacDonald, qui l'attendait depuis cinq ans. La mariée, alors âgée de trente-six ans, portait une robe blanche et le collier de perles et d'améthystes que lui avait offert MacDonald.

Pour leur voyage de noces, les nouveaux époux traversèrent l'océan Atlantique en bateau à vapeur et séjournèrent deux mois en Grande-Bretagne. En Écosse, Maud fit la connaissance d'un de ses correspondants de longue date, George MacMillan. Elle ne le revit jamais par la suite, mais ils poursuivirent leur correspondance jusqu'à la mort de Maud. À leur retour au Canada, les MacDonald s'établirent à Leaskdale, un village au nord de Toronto, en Ontario, où Ewan avait obtenu un poste de pasteur.

À ce moment-là, Maud avait publié non seulement *Anne... La Maison aux pignons verts*, mais aussi *Anne d'Avonlea* (1909), *Kilmeny du vieux verger* (1910) et le livre que Maud préférait, *La Conteuse* (1911). Grâce à sa discipline, qui était une seconde

nature chez elle, elle allait passer le reste de ses jours à écrire,
pour les jeunes, des romans très populaires.

En 1912, à l'âge de trente-sept ans, Maud donna naissance
à Chester Cameron MacDonald. Elle avait le sentiment que
cette naissance rachetait tout ce qui avait pu aller mal dans sa
vie. Tout, disait-elle, menait vers cet enfant. Elle eut un deuxième
fils, Ewan Stuart MacDonald, à l'âge de quarante ans, et son
bonheur s'en trouva multiplié par deux.

Été après été, la famille se rendait en visite à l'Île-du-Prince-
Édouard. Maud apprit à supporter l'Ontario, et même à s'y
sentir bien par moments. Mais l'endroit qui continuait à l'attirer
plus que tout, et dont elle rêvait, était Cavendish. Lorsqu'elle
découvrit les chutes du Niagara, elle déclara qu'elle préférait
regarder la côte de Cavendish pendant une tempête. Ses visites
à l'Île lui rendaient jeunesse et énergie, et, quand elle retournait
en Ontario, elle se remettait à écrire avec enthousiasme.

«Une joie venue de l'enfance m'attend toujours [à Cavendish]
et pénètre en mon cœur dès que je mets les pieds là-bas, écrivit-
elle à MacMillan après un séjour dans l'Île. J'ai senti une partie
de mon âme, longtemps privée d'air, s'envoler comme sur les
ailes d'un aigle. J'étais chez moi – de cœur, d'âme et d'esprit,
j'étais enfin chez moi. Mes années d'angoisse s'évanouissaient.
Je n'étais jamais partie.»

Maud et sa famille logeaient parfois à Park Corner, mais
lorsqu'ils étaient à Cavendish, ils s'installaient généralement
dans la maison du pasteur presbytérien. De là, elle rendait visite
à ses amis d'autrefois, se promenait le long du Chemin des
amoureux ou descendait jusqu'à la plage.

Après que John Macneill eut enfin obtenu ce qu'il attendait
depuis longtemps, c'est-à-dire la maison dans laquelle sa mère
avait vécu, il n'y habita pas. La maison resta vide, pour une
raison que nous ignorons, et les portes et les fenêtres furent
même barricadées. John Macneill finit même par la démolir,
mais, sept ans après la mort de Lucy Macneill, la maison était
encore debout. Maud pénétra à l'intérieur et monta jusqu'à la
porte de son ancienne chambre. Elle craignait d'ouvrir la porte.
Si elle entrait dans cette pièce, croyait-elle, des fantômes

risquaient de la garder prisonnière, et elle ne verrait plus jamais la lumière du jour. À quarante-trois ans, Maud croyait toujours à la puissance du monde surnaturel et à la splendeur du monde naturel.

Maud noua une amitié profonde avec Frede Campbell – cette cousine de Park Corner qui, enfant, l'observait en silence lorsqu'elle se refaisait une beauté pour aller rencontrer les jeunes hommes du village. Les deux femmes étaient des âmes sœurs; Frede fut la femme la plus importante dans la vie de Maud.

En 1931, pour la première fois depuis trente-neuf ans, Maud revit Laura Pritchard, l'adolescente avec laquelle elle s'était liée d'amitié à Prince Albert, en Saskatchewan. Elles se sentaient encore proches d'esprit, et parlèrent jour et nuit durant toute une semaine. Maud finit par rencontrer son correspondant Ephraim Weber en 1928, et ils se revirent également en 1930 et en 1935.

Nate Lockhart, son premier amoureux, épousa une jeune fille de Halifax avant de s'établir en Saskatchewan comme avocat. Fulton Simpson, le prétendant furieux mais alité de ses débuts comme institutrice, épousa une jeune fille de l'Île, et tous deux élevèrent leurs enfants dans la maison des Simpson, à Belmont. Son frère Alf resta célibataire. Quant à Edwin Simpson, à qui Maud était fiancée tout en étant amoureuse d'Herman Leard, il devint pasteur et finit par se marier, mais il n'eut pas d'enfants. Il avait une réputation de suffisance et de vanité.

En Ontario, Maud accomplit fidèlement toutes les tâches dévolues à une femme de pasteur. Elle se dévoua au sein de l'école du dimanche et de divers organismes d'entraide et de charité. Elle se rendait au chevet des malades et des vieillards, assistait aux mariages et aux funérailles. Parfois, cependant, elle subissait les violentes variations d'humeur dont elle avait déjà souffert plus jeune. En vieillissant, son mari connut lui aussi des crises de dépression grave.

Mais, armée de cette mystérieuse détermination dont elle avait montré les premiers signes en commençant à rédiger son journal intime à l'âge de neuf ans, Maud réservait toujours trois heures, chaque matin, pour faire ce qu'elle réussissait le mieux:

écrire des histoires. Elle mourut à Toronto en 1942, à l'âge de soixante-huit ans, et fut enterrée dans un cimetière à proximité des arbres bruissants du Chemin des amoureux et des vagues qui viennent expirer sur le rivage de Cavendish. À sa mort, elle avait écrit pas moins de vingt-deux romans.

▼

Toute sa vie, malgré les difficultés auxquelles elle devait faire face, Maud aspira à prouver qu'elle pouvait devenir écrivain. Les carnets de son journal intime, à eux seuls, sont une preuve de son dévouement exceptionnel à son travail; elle commença à tenir ce journal à neuf ans et le tint à jour pendant près de soixante ans. L'enfant qui écrivait des histoires de princesses assassinées, tout comme la jeune femme qui dirigeait un bureau de poste, persista à devenir un écrivain célèbre. Son but ne changea jamais. Et, avec *Anne… La Maison aux pignons verts*, Maud l'atteignit enfin.

En créant le personnage d'Anne, Maud espérait intéresser et divertir les adolescentes, mais, à son grand étonnement, elle charma des adultes du monde entier, y compris des hommes. Elle reçut des lettres d'admiration de trappeurs du Grand-Nord, de soldats en Inde, de missionnaires en Chine, de négociants en Afrique, d'un juge de la Cour suprême du Canada et, mieux encore, de l'écrivain américain le plus célèbre de l'époque, Mark Twain. L'auteur de *Huckleberry Finn* et de *Tom Sawyer* lui dit qu'elle avait créé «l'enfant la plus adorable et la plus attachante de la littérature depuis l'immortelle Alice». Twain faisait référence à l'héroïne d'*Alice au pays des merveilles*, de Lewis Carroll.

Ce sont toutefois les adolescentes, pour qui Maud avait d'abord écrit *Anne*, qui aimaient le livre avec le plus de passion. Maud entendit parler d'une jeune fille qui gardait la Bible et *Anne* à côté de son lit et qui, chaque soir avant de dormir, lisait un chapitre de chacun des livres. Une autre jeune fille, à qui son professeur demandait de nommer trois épouses du roi Henri VIII, répondit «Anne Boleyn, Anne de Clèves et Anne de Green

Gables». Mollie Gillen, l'auteure d'une biographie de Maud, écrit: «Prononcez le nom d'Anne devant une femme d'un pays anglophone, et, la plupart du temps, cette femme répondra: "Anne? J'ai été élevée avec elle."»

Anne… La Maison aux pignons verts représente le rêve de tout écrivain: un succès immédiat et considérable. Le livre parut le 10 juin 1908, et, avant la fin d'août, soixante-six critiques du livre parurent dans différents journaux nord-américains; soixante d'entre elles, dit Maud, «étaient favorables et flatteuses au-delà de toutes mes espérances». En six ans seulement, son éditeur fit trente-sept réimpressions, et, dès 1914, les jeunes filles de Hollande, de Suède et de Pologne lisaient *Anne* dans leur propre langue. Aujourd'hui, le livre existe aussi en coréen, en danois, en espagnol, en finnois, en français, en hébreu, en islandais, en italien, en japonais, en norvégien, en portugais, en slovaque et en turc.

Les livres de Maud, à eux seuls, ont charmé des millions de lecteurs, mais, grâce au cinéma, à la télévision et au théâtre, les admirateurs d'Anne se comptent à présent par dizaines de millions. Hollywood a produit deux versions filmées d'*Anne… La Maison aux pignons verts*, et une autre qui s'inspire d'*Anne au domaine des peupliers*. La BBC (British Broadcasting Corporation) a réalisé des feuilletons d'*Anne… La Maison aux pignons verts* et d'*Anne d'Avonlea*. Les Canadiens ont eux aussi produit des émissions de télévision inspirées des aventures d'Anne Shirley, qu'ils distribuent dans l'ensemble du monde anglophone et qui connaissent un immense succès.

Les premières pièces de théâtre professionnelles tirées d'*Anne… La Maison aux pignons verts* et d'*Anne d'Avonlea* ont été produites pour la première fois il y a plus d'un demi-siècle, et, pour ce qui est des productions d'amateurs, Dieu seul sait combien de fois Anne Shirley a pu rire, aimer et lancer des mots d'esprit devant un public ravi. En 1990, le Festival d'été de Charlottetown, à l'Île-du-Prince-Édouard, a célébré le vingt-cinquième anniversaire de sa comédie musicale *Anne… La Maison aux pignons verts*. Ce spectacle a obtenu un grand succès en Suède, au Japon, à New York et à Londres, et, dans l'Île, il continue à être un miracle théâtral. Depuis vingt-sept étés consécutifs, soir après soir, les fans d'*Anne* emplissent la salle principale du festival. Des femmes qui ont vu le spectacle quand elles étaient adolescentes reviennent le voir avec leurs filles, et certaines viennent même d'aussi loin que le Japon.

Au Japon, Anne Shirley est sans doute plus célèbre que n'importe quel Canadien vivant. Des investisseurs japonais ont contruit l'un des plus grands parcs thématiques du monde dans l'île de Hokkaido. L'attraction principale du parc est une reconstitution du petit monde d'Anne. Grâce à celle-ci, sept mille touristes japonais visitent l'Île-du-Prince-Édouard chaque été. Certains couples japonais organisent des «mariages factices» dans la maison de Park Corner, à l'endroit même où Maud s'est mariée.

Cette maison est maintenant un musée consacré à Lucy Maud Montgomery, que dirigent des descendants d'Annie et John Campbell. Elle fait partie du circuit de visites qu'effectuent la plupart des amateurs d'Anne en pèlerinage à l'Île-du-Prince-Édouard, tout comme les fondations de la maison où Maud grandit et où elle écrivit *Anne*, la maison où elle naquit et, enfin, l'attraction la plus populaire de toutes: la Maison aux pignons verts. Celle-ci, située dans un parc national et gérée par le gouvernement canadien, est une reconstitution exacte de la maison que Maud a utilisée comme modèle pour la maison d'Anne. Chaque année, elle est visitée par plus de trois cent mille personnes venues de soixante pays différents.

En visitant la Maison aux pignons verts, nombreux sont ceux qui commencent à confondre Maud et Anne. Maud ne vécut jamais dans cette maison, et Anne n'a jamais existé. Pourtant, les visiteurs finissent par se demander si la petite chambre du pignon vert était la chambre d'été d'Anne ou celle de Maud. Et la cuisine, est-ce celle où Maud a commencé à écrire *Anne*, ou bien celle où Marilla grondait Anne?

Lorsqu'on lui demandait si Anne était quelqu'un de réel, Maud elle-même ne savait trop quoi répondre. En 1911, elle écrivait dans son journal:

Ne se tient-elle pas à côté de moi en ce moment même? Si je tournais la tête rapidement, ne l'apercevrais-je pas, avec ses yeux curieux et brillants, ses longues tresses rousses et son petit menton pointu? Dire à cette petite fée obsédante qu'elle n'est pas réelle parce que, voyez-vous, je ne l'ai jamais rencontrée en chair et en os... Non, je ne peux pas faire une chose pareille. Bien que je ne l'aie jamais vue, elle est si réelle que je suis sûre de la rencontrer un jour...

Maud n'était pas la seule à croire qu'Anne était étrangement réelle. Avec son inoubliable petite fée rousse aux yeux remplis d'étoiles, Maud Montgomery a enrichi la vie de millions de personnes, un peu partout sur ce qu'elle-même et Anne appelaient cette «vieille terre adorable».

Index

A

Ainslee's (magazine de Londres), 136
American Homes (magazine), 151,
153
Anne au domaine des peupliers
(Montgomery), 173
Anne d'Avonlea (Montgomery), 169;
feuilleton de la BBC, 173
Anne... La Maison aux pignons verts
(Montgomery), 28, 29, 58, 153,
155;
adaptations du roman,173;
commentaires de Mark
Twain, 172;
critiques du roman, 173;
dédicace, 167;
éditeur du roman
original, 158;
éditions différentes, 173;
origine de l'idée du roman,
156;
parallèle avec la vie de Maud,
162-167;
popularité au Japon, 174;
première phrase, 157;
rédaction du roman, 137,
149, 155-159;
résumé de l'histoire, 161-162;
succès du roman, 172-175
— Anne Shirley, 157;
commentaire de Maud
sur Anne, 175;
imagination, 36, 44, 51;
sources du personnage,
29, 37, 41-42, 47-48,
60, 63, 150, 157, 164-
167

— lieux :
Avonlea (Cavendish),
162, 163;
Bright River, 162;
Chemin des amoureux,
52, 162;
Forêt hantée, 39, 162;
Lac-aux-Miroirs, 162;
White Sands, 162
— personnages :
Diana Barry, 163, 165,
167;
Gilbert Blythe, 76, 167;
Marilla Cuthbert, 29,
43-44, 60, 63, 150, 161,
166-167;
Matthew Cuthbert, 161-
162, 166, 167;
Mme Rachel Lynde, 47-
48, 122, 157, 162, 167;
personnages en tant que
mélanges, 164;
Teddy Phillips, 163
Associated Sunday Magazines, 151
«L'Automne» (Montgomery), 69

B

BBC (feuilletons de la série *Anne*),
173
Belmont, Î.-P.-É., 11-17, 126, 149
Bideford, Î.-P.-É., 117-120, 121,
155
Bull, capitaine, 54
Bulwer-Lytton, Lord Edward, 68,
78

C

Campbell, Annie Macneill (tante), 30, 105, 107

Campbell, Clara, 105, 106, 107-108, 142

Campbell, Frederica («Frede»), 108, 171

Campbell, George, 106

Campbell, John (oncle), 35, 105; maison, 106-109, 117, 174; maison, dans les romans de Maud, 35-36, 162

Campbell, Mary, 111

Campbell, Stella, 105, 106, 107-108, 142

Canadian, The, 132

Canadien Pacifique (chemin de fer), 84

Cap Leforce, légende du, 55; poème de Maud, 93, 94

Caven, John, 114

Cavendish, Î.-P.-É., 14-15, 23, 24, 30, 32, 35, 39, 129, 170-171; bureau de poste, 64, 73, 131; école (modèle pour l'école d'Avonlea), 162; église presbytérienne, 169-170; habitants, 59-60, 62-64, 127; Institut féminin, 148; modèle pour Avonlea, 162-163; salle des fêtes, 77, 79; Société littéraire, 64-65, 77, 80, 142, 148, 163; valeurs, 67-68, 122, 150; *Voir également* «Montgomery, L. M.»

«Charivari» (Montgomery), 125

Charlottetown, Î.-P.-É., 36-37, 111-112, 123; comédie musicale du festival d'été, *Anne of Green Gables*, 173; église presbytérienne de Zion, 111; *Examiner*, 73, 94; First Methodist Church, 111; *Guardian*, 116; Opéra, 115;

Prince of Wales College, 109, 111, 113, 116, 158

«Charme des violettes, Le» (Montgomery), 110

Churchman, The, 151

Clark (famille), 63

Clark, William, 14

Clifton, Î.-P.-É. (lieu de naissance de Maud), 30

Conteuse, La (Montgomery), 169

Cuthbert, Marilla. *Voir Anne... la Maison aux pignons verts*

D

Daffy (chat de Maud), 169

Dalhousie (université), 121-124, 159

Dame du lac, La (Scott), 68

Delineator, The, 136

Derniers Jours de Pompéi, Les (Bulwer-Lytton), 68

Dystant, Lewis, 118

E

East and West (magazine de Toronto), 152

Émilie de la Nouvelle Lune (Montgomery), 28 rapports avec la vie de Maud, 41, 44-45, 51; — personnages dans le roman : tante Élisabeth Murray, 44; cousin Jimmy, 28; Mlle Brownell, 41; relations père-fille, 32-33

«En prenant le thé» (rubrique), 135

«L'Enfant martyr», 64

Eugene Aram (Bulwer-Lytton), 78

Everybody's (magazine), 151

F

Family Herald, 132

«Femmes de pêcheurs» (Montgomery), 125

Forbes, James, 38

Fraser (famille), 11-12

G

Gillen, Mollie, 173

Godey's Lady's Book, 64, 67, 71;
  poème qui sert d'inspiration à Maud, 71-72

Golden Days (magazine), 125, 126, 127

Good Housekeeping, 132

Gordon, Hattie, 77-78, 79, 81, 93, 109, 163

Gyp (chien des Macneill), 54

H

Halifax, Nouvelle-Écosse, 121-126, 133-137;
  Collège pour jeunes filles, 123;
  Daily Echo, 133-137;
  église presbytérienne, 124, 145;
  Evening Mail, 124

Household, The (magazine), 73

Howatt, Irving, 108

Hunter River, Î.-P.-É. (modèle pour Bright River, dans *Anne... La Maison aux pignons verts*), 162

I

Île-du-Prince-Édouard (Î.-P.-É.), 11, 16, 63-64;
  arrivée de la famille Montgomery, 29;
  climat, 12, 57, 129-130;
  cultures, 16-17, 22-23, 57-58, 67, 118, 125;
  habitants, 48, 59-60, 63, 79;
  histoire et géographie, 48, 53;
  légendes, 54-55;
  naufrage du *Marco Polo*, 53-54, 79, 94;
  rôle des femmes, 122, 130-131, 150-151

Ivanhoé (Scott), 78

K

Kilmeny du vieux verger (Montgomery), 169

L

Ladies Home Journal, 132

Ladies' Journal (Toronto), 119

Ladies World, The (magazine), 110

Laird, John («Snap»), 76, 78

Lawson, Mary Macneill, 28

L.C. Page Co., 158

Leaskdale, Ontario, 169, 170, 171-172

Leard, Cornelius (et sa femme), 19

Leard, Helen, 22

Leard, Herman :
  apparence, 19;
  décès, 24;
  histoire d'amour avec Maud, 19-25, 126, 127, 129, 139, 147, 155

«Les lettres d'amour du maître d'école» (Montgomery), 151

Lockhart, Nate («Snip»), 76-81, 83, 106, 171

Lower Bedeque, Î.-P.-É., 19, 23, 126, 129

M

MacDonald, Chester Cameron (fils), 170

MacDonald, Ewan (époux), 145-147, 169-170

MacDonald, Ewan Stuart (fils), 170

MacMechan, Archibald, 123, 124,

MacMillan, Barbara, 111

MacMillan, George B., 139-140, 153, 169

Macneill, Alexander (grand-père), 23, 22, 39, 45, 53, 55, 64, 75, 122, 129-130, 166

Macneill, Amanda («Mollie»), 76, 78, 80, 106, 142;
  modèle pour Diana Barry, 163

Macneill, Annie. *Voir* «Campbell, Annie Macneill»

Macneill, Clemmie, 79, 80, 106

Macneill, David et Margaret (cousins), 52;
  domaine des Macneill comme modèle pour Green Gables, 162

Macneill, Eliza, 27, 28

Macneill, Emily (tante), 30, 38

Macneill, Hector, 27

Macneill, James, 28

Macneill, John, 27

Macneill, John (oncle), 130-131, 141-142, 170

Macneill, Lucy (cousine), 76, 141-142

Macneill, Lucy Woolner (grand-mère), 23, 31, 32, 42-43, 60, 122, 130-131, 166, 169, 170

Macneill, Nellie, 79

Macneill, Pensie, 75, 78, 81, 85, 92, 93, 95, 106, 119, 142

Macneill, Pierce (domaine de, modèle pour la maison de Rachel Lynde), 162

Macneill, Prescott, 133, 137, 142

Macneill, William, 28

Macneill, William («Old Speaker»), 27, 55

Maison aux pignons verts, 174

Malpèque, baie de, Î.-P.-É., 16, 117

Les mauvais cous d'un petit garneman, 70

McClure's (magazine), 151

McLeod, James, 76;
    modèle du personnage de Teddy Phillips, 163

McLeod, Lem, 108, 111, 117, 156

Mademoiselle Pat (Montgomery), 36

Mémoires d'Anzonetta Peters, Les, 68

«Mes tombes» (Montgomery), 70

Montgomery, Clara Macneill (mère), 29-31, 68

Montgomery, Donald (grand-père), 35, 84, 110

Montgomery, Donald Bruce (demi-frère), 86

Montgomery, Hugh, 29

Montgomery, Hugh John (père), 30, 32-33, 69, 83, 84-87, 94, 131

Montgomery, Kate (demi-sœur), 85

Montgomery, L. M. (Lucy Maud)
    — à Cavendish, Î.-P.-É. :
        amour des lieux, 95-96, 110, 142, 158, 170-171;
        bureau de poste, 64, 73, 131;
        chambre à coucher, 49-50, 142;

Chemin des amoureux, 53, 131, 142, 155-156, 170;
        maison, 35, 38, 49-50, 105-106, 126-127, 170-171;
        rivage, 53-54;
        soin de sa grand-mère, 130-133, 139-144, 155, 163
        Voir aussi «instruction» (ci-dessous)
    — à Charlottetown, Î.-P.-É., 113-116;
        église, 111;
        pension, 95, 114;
        Voir aussi «Prince of Wales College» (ci-dessous)
    — à Halifax, Nouvelle-Écosse, 121-126, 133-137
    — à Park Corner, Î.-P.-É., 31, 106-108, 118, 131, 142, 169, 170, 173
    — à Prince Albert, Saskatchewan, 83-96, 158;
        aversion pour les lieux, 91;
        mal du pays, 95-96;
        poème d'adieu, 96;
        vie sociale, 92-93
    — apparence :
        enfant, 38, 63, 164;
        jeune femme, 13-14, 115-116
    — caractère :
        amertume, 137, 143-144;
        amour de la nature, 50-53, 131;
        amour des chats, 42, 44, 169;
        amour du langage et de l'écriture, 60, 150;
        analyse de son caractère, 20, 25, 149-150;
        conscience puritaine, 20, 29;
        éthique professionnelle, 59-60;

frayeurs et fantasmes, 37-38, 39-40, 46, 62, 143, 171;
imagination, 36, 50, 51-52, 62, 63, 69, 83, 140;
intelligence, 16, 113, 115-116, 122;
nature passionnée et romantique, 21, 29, 38, 43-45, 63, 83, 126-127;
personnalité, 14, 42-46, 63;
sensibilité, 11, 40-41, 47-48;
solitude, 36, 37-38, 46, 63, 137, 139, 143-144;
variations d'humeur, 53, 148, 171
— carrière d'institutrice :
Belmont, Î.-P.-É., 11-17, 126, 127, 149;
Bideford, Î.-P.-É., 117-120, 121, 155;
fin de sa carrière, 130;
Lower Bedeque, Î.-P.-É., 19-23, 126, 129
— carrière littéraire :
adaptation de ses romans au théâtre, au cinéma et à la télévision, 173;
ambition, 69, 71-72, 83, 119-120, 127, 150-151, 172;
débuts, 50, 65, 69-73;
désir d'écrire un roman, 157, 159;
horaire/habitudes d'écriture, 12, 25, 69, 70-71, 132, 136, 148-149, 156;
journal intime, 70-71, 78, 172;
journaliste, 133-137;
lectures, 64-65, 67-68, 70, 78-79;
légendes de Î.-P.-É., 54-55, 79;
machine à écrire (achat), 132;

manuscrits refusés, 73, 119-120, 132, 158;
personnages perçus comme mélanges, 164;
premier argent gagné, 124-125;
premier poème, «L'Automne», 69;
premier poème publié, 93;
premiers textes publiés, 17, 23, 94-95, 96, 106, 110;
pseudonymes, 120, 124-125, 135;
romans publiés, 169-170;
Société littéraire de Cavendish (rôle), 64-65, 142, 148;
succès comme écrivain, 151-153, 172-175;
ventes de textes, 125-126, 127, 132-133, 136, 151-153
— correspondance avec Weber et MacMillan, 139-140, 148, 153, 156, 159, 169
— décès, 171
— enfance et adolescence :
absence du père, 32-33;
adolescence, 76-81;
amies imaginaires, 37-38;
amis, 75-81, 86, 88-89;
attribution de noms aux arbres et aux plantes, 52;
aventure de Charlottetown, 36-37;
bois de l'école, 52;
bois de la route de Cavendish, 40;
Chemin des amoureux, 52;
conflit avec ses grands-parents, 36, 41, 42-46, 67;
fièvre typhoïde, 32;

liens avec *Anne... La Maison aux pignons verts*, 163-164;
mort de sa mère, 30-31, 49, 130;
naissance, 27, 29-30;
naufrage du *Marco Polo*, 53-55;
orphelins (compagnons de jeux), 38-39, 69;
poupées, 50;
premier amour, 78-81;
Prince Albert, 80-81, 159;
propriété des Macneill, 31, 35-46, 49-50, 105-106, 129-130;
rapports avec son père, 31, 69;
tâches domestiques, 58-59;
visites chez les Campbell, 35-36;
Voir aussi «à Prince Albert» (ci-dessus)
— famille de Maud :
belle-mère, 85-87, 88, 94;
conteurs d'histoires, 28;
famille Macneill, 20-21, 27-28, 63, 130, 141;
famille Montgomery, 20, 28-29;
femmes fortes, 28-29;
grand-mère Lucy Woolner Macneill, 23, 31, 32, 41, 42-45, 60, 122-123, 130-133, 166, 169, 170-171;
grand-père Alexander Macneill, 23, 27-28, 39, 45, 53, 55, 64, 75, 122, 129-130, 166;
grand-père Donald Montgomery, 35, 84, 110;
mère, 29-31, 68, 167;
père, 30-33, 83, 84-87, 131, 167
— instruction :

apprentissage par elle-même, 67-68;
brevet d'enseignement, 115, 158;
cérémonie de remise des diplômes, 115-116;
école secondaire de Prince Albert, 87-88, ;
études primaires et secondaires, 40-41, 52, 76-78;
examens d'admission pour le collège, 109-110;
Prince of Wales College, 109, 110-111, 113-116, 125, 156, 158-159, 163;
professeurs de Maud, 40-41, 76-78, 79, 114, 123, 124;
université Dalhousie, 121-123, 159
— journal intime, 21-22, 25, 45, 81, 86-87, 89, 127, 137, 140, 143, 147, 155, 172, 174-175
— maîtresse de poste, 131, 143, 146, 155, 172
— mariage avec Ewan MacDonald :
cérémonie, 169, 174;
lune de miel, 169;
naissance des enfants, 170;
rôle en tant qu'épouse de pasteur, 171;
vie à Leaskdale, Ontario, 169-171
— orgue, 13, 63, 65, 77, 106 142
— religion, 52-53, 61-62, 68, 110, 111, 130, 131, 145-146
— vie amoureuse et prétendants :
Edwin Simpson, 15-17, 20, 21, 23, 108, 126, 127, 129;
Ewan MacDonald, 145-147; *Voir aussi* «mariage»
flirts de Park Corner, 107-109;

Fulton Simpson, 13-15, 126;
Herman Leard, 19-25, 126, 127, 129, 139, 147, 155;
idéal amoureux, 108, 146;
John A. Mustard, 88-89, 111;
Lem McLeod, 108, 111, 117, 156;
Lewis Dystant, 118;
Nate Lockhart, 76-81, 83, 106;
Will Pritchard, 91-92, 93, 96, 156
Voir aussi Anne... La Maison aux pignons verts; Émilie de la Nouvelle Lune, autres titres
Montgomery, Mary, 29
Montgomery, Mary Ann McRae (belle-mère), 85-87, 88, 94
Murray, Betsy, 29
Musée Lucy Maud Montgomery, 174
Mustard, John A., 88-89, 111

N
«Naufrage du *Marco Polo*, Le» (Montgomery), 94
Nelson, David, 38-39, 69
Nelson, Wellington, 38-39, 69

P
Park Corner, Î.-P.-É., 31, 106-108, 118, 131, 142, 169, 170;
Musée Lucy Maud Montgomery, 174;
Société littéraire, 107-108
Pat de Silver Bush (Montgomery), 36
Presbytérianisme, 61-62, 130
Prince Albert, Saskatchewan, 81, 83-96, 156;
école secondaire, 87-88;
officiers de la police montée, 87;
Times, 94-95;
vie sociale, 92-93;

Villa Eglintoune, 85, 88, 95;
ville, 85
Prince of Wales College, 109, 110, 113-116, 125, 156, 158;
dans *Anne... La Maison aux pignons verts*, 163
Pritchard, Laura, 88, 91, 96, 111, 1171
Pritchard, William, 91-92, 93, 96, 156

R
«Rêves du soir» (Montgomery), 72-73
Robinson, Izzie, 41, 72
Robinson, Selena, 109
Rustico, Î.-P.-É. (modèle pour «White Sands»), 162

S
Saint John, Nouveau-Brunswick, 84
Saskatchewan (journal), 96
Scott, Sir Walter, 68, 125
Seth Hall (histoire du), 55
Shirley, Anne. *Voir Anne... La Maison aux pignons verts*
Simpson, Alfred, 13, 15, 171
Simpson, Arthur, 65
Simpson, Edwin, 15-17, 20, 21, 23, 108, 126, 127, 129, 171
Simpson (famille), 13, 62
Simpson, Fulton, 13-15, 126, 171
Skelton, Edith, 86
Smart Set, The, 136
Starr, Émilie. *Voir Émilie de la Nouvelle Lune*
Stevenson, Jim, 115
Sunday School Times, The, 152
Sutherland, Will, 114

T
Talisman, Le (Scott), 78
Times (journal de Philadelphie), 127
Twain, Mark, 172

U
«Un Éden dans l'Ouest» (Montgomery), 94-95

«Un gâteau sec au gingembre»
  (Montgomery), 119

W
Weber, Ephraim, 139-140, 148,
  156, 159, 171
Wide Awake, 64
Witness (journal de Montréal ayant
  organisé un concours littéraire),
  79, 94

Y
Youth's Companion, The (magazine),
  125
Z
Zanoni (Bulwer-Lytton), 68;
        idéal amoureux de Maud,
        108
Zieber, Miriam, 139

CHEZ QUÉBEC/AMÉRIQUE

La Série Anne
(ÉDITION GRAND FORMAT)

Montgomery, Lucy Maud
ANNE... LA MAISON AUX PIGNONS VERTS
ANNE D'AVONLEA
ANNE QUITTE SON ÎLE
ANNE D'INGLESIDE
ANNE DANS SA MAISON DE RÊVE
ANNE AU DOMAINE DES PEUPLIERS
SUR LE RIVAGE
LA VALLÉE ARC-EN-CIEL
CHRONIQUES D'AVONLEA TOME 1
CHRONIQUES D'AVONLEA TOME 2
LE MONDE MERVEILLEUX MARIGOLD
RILLA D'INGLESIDE
KILMENY DU VIEUX VERGER
HISTOIRES D'ORPHELINS
AU-DELÀ DES TÉNÈBRES
LA ROUTE ENCHANTÉE
L'HÉRITAGE DE TANTE BECKY
LONGTEMPS APRÈS
(AUSSI DISPONIBLE EN FORMAT DE POCHE)

COLLECTION

Lazure, Jacques
LE RÊVE COULEUR D'ORANGE
Lemieux, Jean
LE TRÉSOR DE BRION
Marineau, Michèle
LA ROUTE DE CHLIFA

COLLECTION
EXPLORATIONS
Dirigée par Dominique Demers

Demers, Dominique
DU PETIT POUCET AU DERNIER DES RAISINS
Introduction à la littérature jeunesse

Demers, Dominique
LA BIBLIOTHÈQUE DES ENFANTS
Des trésors pour les 0 à 9 ans

Guindon, Ginette
LA BIBLIOTHÈQUE DES JEUNES
Des trésors pour les 9 à 99 ans

COLLECTION
FORMAT POCHE

Audet, Noël
L'OMBRE DE L'ÉPERVIER
Beauchemin, Yves
LE MATOU
JULIETTE POMERLEAU
Bélanger, Jean-Pierre
LE TIGRE BLEU
Fournier, Claude
LES TISSERANDS DU POUVOIR
Germain, Georges-Hébert
CHRISTOPHE COLOMB
Kerouac, Jack
MAGGIE CASSIDY
Le Bouthillier, Claude
LE FEU DE MAUVAIS TEMPS
Ohl, Paul
KATANA
DRAKKAR
SOLEIL NOIR
Ouellette-Michalska, Madeleine
L'ÉTÉ DE L'ÎLE DE GRACE
Poulin, Jacques
VOLKSWAGEN BLUES
Proulx, Monique
SANS CŒUR ET SANS REPROCHE